PARTIR

SANS
DESTINATION

GUILLAUME DURANCEAU-THIBERT

Édition : Julie Roy
Graphisme et infographie : Nicole Lafond
Traitement des images : Johanne Lemay
Révision : Édith Cordeau-Giard
Correction : Joëlle Bouchard

Toutes les photos proviennent de la collection personnelle
de Guillaume Duranceau-Thibert à l'exception de :
Abonnés Instagram : p. 167 ;
Louis-Charles Pilon : p. 18-19 ;
Marco Buch : p. 138, 140, 142, 146-147 ;
Shutterstock : p. 41, 54-55, 67, 91, 116-117, 127, 143, 144,
156, 158, 159, 162-163, 169, 185.

Données de catalogage disponibles auprès de
Bibliothèque et Archives nationales du Québec

SUIVEZ-NOUS SUR LE WEB

Consultez nos sites Internet et inscrivez-vous
à l'infolettre pour rester informé en tout temps
de nos publications et de nos concours en ligne.
Et croisez aussi vos auteurs préférés
et notre équipe sur nos blogues !

EDITIONS-LASEMAINE.COM
EDITIONS-HOMME.COM
EDITIONS-JOUR.COM
EDITIONS-PETITHOMME.COM
EDITIONS-LAGRIFFE.COM
QUEBEC-LIVRES.COM
RECTOVERSO-EDITEUR.COM

DISTRIBUTEURS EXCLUSIFS :

Pour le Canada et les États-Unis :
MESSAGERIES ADP inc.*
Téléphone : 450-640-1237
Internet : www.messageries-adp.com
* filiale du Groupe Sogides inc.,
  filiale de Québecor Média inc.

Pour la France et les autres pays :
INTERFORUM editis
Téléphone : 33 (0) 1 49 59 11 56/91
Service commandes France Métropolitaine
Téléphone : 33 (0) 2 38 32 71 00
Internet : www.interforum.fr
Service commandes Export – DOM-TOM
Internet : www.interforum.fr
Courriel : cdes-export@interforum.fr

Pour la Suisse :
INTERFORUM editis SUISSE
Téléphone : 41 (0) 26 460 80 60
Internet : www.interforumsuisse.ch
Courriel : office@interforumsuisse.ch
Distributeur : OLF S.A.
Commandes :
Téléphone : 41 (0) 26 467 53 33
Internet : www.olf.ch
Courriel : information@olf.ch

Pour la Belgique et le Luxembourg :
INTERFORUM BENELUX S.A.
Téléphone : 32 (0) 10 42 03 20
Internet : www.interforum.be
Courriel : info@interforum.be

10-18

Imprimé au Canada

Dépôt légal : 2018
Bibliothèque et Archives nationales du Québec

ISBN (version papier) 978-2-89703-447-4
ISBN (version numérique) 978-2-89703-478-8

Gouvernement du Québec – Programme de crédit d'impôt pour
l'édition de livres – Gestion SODEC – www.sodec.gouv.qc.ca

L'Éditeur bénéficie du soutien de la Société de développement
des entreprises culturelles du Québec pour son programme d'édition.

Conseil des Arts   Canada Council
du Canada   for the Arts

Nous remercions le Conseil des Arts du Canada de l'aide accordée
à notre programme de publication.

Financé par le gouvernement du Canada
Funded by the Government of Canada   Canadä

Nous reconnaissons l'aide financière du gouvernement du Canada par l'entremise du Fonds du livre du Canada pour nos activités
d'édition.

PARTIR
SANS
DESTINATION

GUILLAUME DURANCEAU-THIBERT

ÉDITIONS
LA SEMAINE

Une société de Québecor Média

En équilibre à Oman, au Moyen-Orient.

À Louise et à Jean-Yves,
qui ont insufflé en moi une puissante bourrasque de positivisme,
d'ambition et de curiosité, nécessaires à ma quête du bonheur.
Ici et ailleurs.

Note de l'auteur

Tout voyageur ayant bourlingué le sac à l'épaule à la découverte de soi et du monde possède souvent un bagage riche d'histoires. Toi le premier, j'en suis convaincu.

Voici les notes inscrites dans mes multiples carnets de voyage, ainsi que de nombreuses photos prises aux quatre coins du monde depuis plus de 10 ans.

J'avais humblement envie de vous partager ces moments qui ont été marquants, qui ont laissé une trace et enflammé le désir de continuer à découvrir.

Les moments qui donnent une raison de mordre dans la vie, de vivre vraiment, totalement et maintenant.

Mon plus grand désir ? Que vous glissiez ce livre dans votre sac à dos et que vous partiez à l'aventure !

Guillaume

Avant-propos
LA GROTTE

Je glisse lentement dans l'eau cristalline de la caverne, elle est étonnamment chaude...

Le seul bruit qui résonne sur les murs est le rire des touristes un peu plus loin, près de l'ouverture de la grotte.

Je m'éloigne et m'enfonce dans les abysses marins. J'ai envie de vivre ma propre aventure loin des plaisirs simples du tour guidé. Je sais très bien qu'à cet endroit, la caverne est connectée par un réseau complexe de tunnels sous-marins qui débouchent indubitablement vers d'autres sorties dans la forêt. Juste le fait d'y penser, mon cœur se met à battre la chamade, l'eau parvient maintenant à mes épaules...

L'excitation.

Je plonge.

Être entouré de plusieurs tonnes de roches composant cette formation géologique étonnante pourrait être oppressant, mais au contraire, je nage dans la sérénité, l'esprit libre. Mon masque d'apnée me permet de contempler les stalactites ancestrales, dont certaines naissent à l'air libre de la caverne et vont, elles aussi, se mettre la tête dans l'eau, jusqu'à s'enfouir complètement dans les noirceurs aquatiques. Réalisant que je suis suffisamment éloigné du groupe pour avoir l'impression d'être le seul occupant de l'espace, je prends une bonne respiration et je replonge.

Une étrange lueur émanant du plus profond de l'eau attire mon attention: des plongeurs! J'observe leurs mouvements lents, puis ils disparaissent paisiblement en laissant derrière eux un sillon de bulles d'air dansantes. La scène est apaisante...

Les plongeurs sont loin devant, dans la partie complètement immergée de la caverne.

À quelques pieds de profondeur, retenant toujours mon souffle, je regarde la naissance, l'ascension et la finalité explosive des bulles qui se fracassent avec éclat sur le plafond rocheux et sous-marin de la grotte.

À ma grande surprise, lors de leur éclatement, les bulles s'assemblent en mourant dans une poche d'air!

En remontant à la surface pour respirer, une idée soudaine, un dessein plus ou moins douteux, prend forme dans mon esprit.

Je replonge.

Mon pouls s'accélère.

M'engouffrant plus profondément, pour avoir une vue d'ensemble de la situation, je scrute minutieusement chaque détail de cette toile inhabituelle.

Je lève tranquillement les yeux vers le plafond sous-marin, et exactement comme je l'avais imaginé, il y a une étrange succession de poches d'air à plusieurs mètres d'intervalle.

Un chemin.

Mes poumons commencent légèrement à brûler.

« Merde, c'est pas une bonne idée... »

Mon pouls s'accélère davantage.

« Ah, pis *fuck it*! Je fonce! »

Démuni de toute forme de logique, c'est dans ces moments d'excitation et de pure adrénaline que je me sens vivre pleinement.

« Je conterai pas ça à ma mère! »

Nageant frénétiquement vers la première poche d'air, mes poumons s'enflamment. La confiance règne, l'adrénaline aidant. J'atteins ma première escale en espérant que la poche d'air soit en fait une formation concave du plafond et qu'elle forme une cavité assez grosse pour que je puisse y prendre une respiration complète et sortir la tête hors de l'eau!

Je nage les mains vers le haut pour éviter de me briser le crâne si la poche est trop petite.

Au ralenti, mes doigts, mes mains, mes avant-bras, tour à tour, quittent l'eau caverneuse. Dans la pénombre la plus complète, je pousse un énorme soupir de soulagement en expirant longuement et bruyamment. Avançant à tâtons, la bulle doit bien avoir cinq pieds de diamètre sur deux pieds de hauteur. Il fait complètement noir.

Je reprends mon souffle.

Je replonge et répète la même manœuvre, nageant de poche d'air en poche d'air en m'engouffrant toujours plus loin et en m'éloignant tranquillement du seul faisceau de lumière bleutée qui m'éclaire par-derrière, l'entrée de la caverne.

L'air est probablement vicié par la trop grande quantité de gaz carbonique relâchée par les plongeurs, et les poches se font de plus en plus petites.

L'oxygène commence à se faire rare.

Ma tête se met à tourner.

Je m'en veux de ne pas avoir écouté dans mes cours de chimie au secondaire : combien de temps un humain peut-il survivre en respirant dans un endroit exigu et scellé ?

« Merde, je dois bouger rapidement. »

Je dois être à 100 mètres de la bouche de la grotte, mon point de départ et peut-être de salut. En marchant, cette distance est anodine, mais sous l'eau, je constate que c'est un problème.

Je devrais faire demi-tour, mais mon idée première est de déboucher à l'autre extrémité du tunnel, sans réellement savoir où il se trouve.

Stupide.

La lueur tout au bas réapparaît. Étrangement, j'ai rattrapé les plongeurs ! Ils se sont arrêtés au loin, en contemplant avec leur lampe-torche les formations rocheuses aux allures terrifiantes.

Leurs bulles d'air expirées vers le haut se fusionnent avec ce qui m'a l'air d'une immense poche oxygénée où je pourrai enfin reprendre mes esprits et mon souffle.

Je m'élance à toute vitesse sous l'eau ; l'objectif est loin, mais je suis un bon nageur.

Je nage.

Tout tourne autour de moi.

Je nage.

Il fait si noir.

Mes poumons veulent littéralement sortir de mon corps, et plusieurs coups de palmes plus tard, la poche d'air semble atteignable.

« *Shit*, ça va être *tight* ! »

Je vais manquer d'air, c'est certain. L'adrénaline embarque.

Recréant le même principe en avançant mes mains vers le haut pour éviter de me cogner la tête, dans un dernier battement de jambes, j'atteins mon éden à bout de souffle.

Horreur.

Seule l'extrémité de mes doigts quitte l'eau pour toucher la paroi !

Il n'y a pas d'air dans cette poche, elle semblait pourtant énorme vue du dessous.

Grosse en superficie, inexistante en volume.

Il n'y a pas d'air.

L'erreur sera peut-être fatale.

Dans les situations critiques en voyage, garder son sang-froid est le meilleur moyen de s'en sortir. Analyser la situation.

Prendre une décision.

Agir.

Je ne peux rebrousser chemin sans respirer.

Les plongeurs sont trop bas pour m'apercevoir et me venir en aide.

L'unique option qui peut me garder en vie est de me retourner complètement, face première à la paroi.

Je dois respirer maintenant, à tout prix.

J'avance tranquillement mes lèvres vers la mince poche d'air, mon nez se heurte à la pierre froide, juste assez pour prendre UNE respiration sans m'étouffer.

Je n'ai qu'une seule chance, un seul essai.

À ce moment, une pensée traverse mon esprit, une pensée qui forgera probablement le reste de l'aventure, de ma vie. La destination, l'objectif que je m'étais fixé, de nager de poche d'air en poche d'air jusqu'à l'atteinte d'une hypothétique sortie, cela n'était que de l'orgueil. De l'orgueil pour me prouver que j'étais capable de me rendre jusqu'au bout. Cela, pour vivre une aventure hors du commun, une aventure unique, une aventure à moi, « *once in a lifetime* ». Je vis le moment présent pour moi, mais l'aventure prend tout son sens si on peut la raconter à quelqu'un, la partager, en rire, en pleurer... Au point où j'en suis, je ne pourrai probablement la raconter à personne : vais-je mourir noyé ? J'ai beaucoup appris, ce jour-là. J'ai appris sur les limites que je dois m'imposer, j'ai appris que je ne suis pas invincible, j'ai appris que l'important, c'est le cheminement, le parcours et ce que l'on en retient. J'ai appris que la ligne est mince entre se sentir vivre et aller trop loin.

J'ai appris que l'orgueil ne valait rien.

J'ai appris que... maudit que j'avais envie de vivre.

J'ai appris qu'on s'en fout, de la destination.

J'ai pris une courte respiration, une seule.

J'ai laissé l'adrénaline faire le reste.

Je m'en suis sorti.

Dangereux, les bidonvilles en Colombie ? À voir !

Introduction

ÇA VEUT DIRE QUOI,
PARTIR SANS DESTINATION ?

Destination : lieu vers lequel quelque chose ou quelqu'un se dirige, est dirigé.

La destination est souvent la pointe de l'iceberg, la cerise sur le gâteau, la partie la plus apparente. La destination est le résultat d'une équation, une bonne ou une mauvaise réponse, une finalité. Par contre, nous devons nous intéresser à la formule bien avant la réponse. Quel est le chemin parcouru pour y arriver ? Parce que, contrairement aux mathématiques, la formule change souvent en cours de route, et la réponse aussi !

Voyager sans destination, c'est se laisser aller au gré du vent, telle une girouette ; c'est avoir assez d'ouverture d'esprit pour changer d'idée constamment et tourner à gauche la plupart du temps (j'aime bien aller à gauche). C'est laisser les gens que l'on rencontre au fil du périple influencer notre chemin... C'est un marin vieilli par la mer qui nous amène sur l'océan le temps d'une partie de pêche et d'un sourire ; c'est un barman qui nous indique son site de surf préféré, à l'abri des regards ; c'est une jolie voyageuse qui nous parle d'un canyon majestueux à ne pas manquer ; c'est une conversation ordinaire dans le train avec un local qui nous fera découvrir son pays.

C'est se laisser envoûter par la nourriture parfois surprenante, mais ô souvent délicieuse. C'est ces gens venus d'ailleurs que l'on croise le temps d'un *shooter,* qui, sans le savoir, deviendront nos meilleurs amis et nous feront réaliser que notre planète n'est pas si grosse que ça. C'est les fous rires partagés dans un hamac avec le même linge que la veille, les histoires qu'on ne racontera pas nécessairement à sa mère, les frissons partagés au sommet d'un volcan, les *roadtrips* improvisés, les *rides* d'autobus et de trains interminables où on a le temps de penser à refaire le monde une couple de fois. C'est les accidents de scooter qui nous permettent de découvrir nos talents à faire des pansements ; c'est les marchés aux mille couleurs, aux mille odeurs étonnantes... C'est la chair autour de l'os. C'est douter, se questionner, écouter et faire confiance ; c'est dire oui la plupart du temps.

C'est s'enivrer de nouveauté et laisser une empreinte positive de notre passage.

C'est avant tout un mode de vie, une façon de voir les choses.

Partir sans destination, en voyage comme dans la vie, c'est tracer sa propre ligne dans le sable et non croire que nous sommes en vie pour en suivre une définie.

C'EST UN DÉPART !

Une frénésie sensorielle enflamme tout le corps au moment exact où l'on appuie sur cette touche du clavier et que le billet pour ailleurs devient nôtre...

PING ! La sonnerie de la réception d'un courriel.

CONFIRMATION DE RÉSERVATION.

QUI EST AVEC MOI ?

Je suis avec qui ? Peu importe, qu'on soit seul, deux ou cinq, c'est toujours le même *buzz*.

Photobomb du plus grand gratte-ciel au monde, à Dubaï.

MA THÉORIE DE LA RÉSERVATION

Scientifiquement, je ne sais pas exactement ce qui se passe à ce moment précis, mais un fluide circule tout d'un coup partout dans nos veines et nous amène dans un état extatique difficilement explicable.

Certains symptômes dus à une joie excessive peuvent y être rattachés.

C'est là que le voisin d'en bas sort son balai et nous le fait savoir.

Tout simplement en appuyant sur une touche.

Étonnant.

Pour arriver à ce vertige précis, par contre, il y a tout un combat de tranchées. Il diffère pour chacun d'entre nous. Un cheminement parfois parsemé d'embûches, souvent de sacrifices, de joies, de peines, de débrouillardise, de planification, d'organisation, mais assurément de beaucoup de travail.

Il n'y a pas de recette miracle.

Tout ça, pour arriver au fameux moment où l'on appuie sur cette touche.

À partir de cette seconde, un autre phénomène étrange survient, qui se décline en deux possibilités : soit le temps ralentit, soit, au contraire, il accélère.

Le tout amenant ces deux réactions possibles :

« C'est long, j'me peux pu d'attendre ! » ou encore

« Maudit, j'aurai jamais l'temps de tout faire avant d'partir ! »

Après, il faut préparer son sac à dos. Encore là, deux profils sont possibles :

L'ORGANISÉ

Normalement, le sac est fait quelques jours d'avance.

L'organisé, c'est celui qui aura tout l'équipement nécessaire pour chaque situation, tous les médicaments inimaginables pour tous les maux probables, plusieurs livres sur la croissance personnelle et tous les guides de voyage de la région à visiter.

Son sac sera méticuleusement segmenté, et le linge bien roulé. Une fois le tout terminé, la phrase suivante est souvent entendue :

« J'ai tout, je suis prêt ! »

LE DÉSORGANISÉ

Normalement, son sac est fait la veille ou carrément quelques heures avant le départ.

Le désorganisé n'aura pratiquement pas d'équipement, si ce n'est que trois diachylons et des Tylenol extra-forts. Il n'aura sans doute qu'un seul livre, qui servira uniquement à allumer un feu ou à prendre des notes sur les zones dénudées d'écriture. Son sac sera pêle-mêle selon la technique du « garrochage en vitesse », et une fois le tout terminé, la phrase suivante sera entendue :

« De toute façon, je m'arrangerai rendu là-bas ! »

Le désorganisé est rusé, il partira souvent avec l'organisé, histoire d'avoir tout à portée de main sans le trimballer. Petit rusé, va.

Peu importe dans quelle catégorie nous sommes, peu importe si le temps passe lentement ou rapidement, le plaisir reste le même, et l'excitation est palpable.

Maudit que c'est l'*fun* de partir.

Quand j'arrive à l'aéroport de Montréal et que j'embrasse ma mère en lui disant que je vais être prudent… Eh là là, si elle savait ! Quand vient le temps fatidique de traverser la sécurité et que c'est prestement le fameux point de non-retour. Le sac est déposé dans le petit bac en plastique et s'élance ensuite courageusement vers les rayons X. « Ça y est, je suis presque en vacances ! » Je ne sais pas pourquoi, je suis toujours nerveux lorsque mon sac à dos passe dans la machine, j'ai toujours peur que l'agent trouve une épée japonaise, une bonbonne de propane ou des feux d'artifice de contrebande. Je n'ai évidemment jamais rien de tout ça, mais quand même, j'ai chaque fois une petite crainte. Une fois assis dans l'avion, côté hublot bien sûr, j'espère toujours l'éventuelle euphorie qui gagnera mon être lorsque je sortirai de mes nébuleuses pensées, lèverai tranquillement la tête et apercevrai une jolie brunette voyageuse qui me lancera un sourire tout en ébranlant mon monde et la suite de ma vie.

Ça fait 25 ans que je prends l'avion, ça fait 25 ans que j'attends.

Je me répète que « les bonnes choses arrivent à ceux qui savent attendre » !

L'avion prend de la vitesse, l'allégresse m'envahit. Je me demande quel genre d'aventures je vais vivre, quel genre de personnes je vais rencontrer, quelle nourriture étrange je vais goûter. Je me mets à rêver, à visualiser, à sourire. Je revois tous les sacrifices que j'ai accomplis pour satisfaire ce besoin de voir le monde.

J'adore ce que je fais, mais *tabarnouche* que j'ai travaillé pour être à cet endroit, à ce moment précis.

Je regarde par le hublot, le paysage file et se brouille, l'avion quitte le sol. À partir de ce moment, le passé est dans le passé, et j'ai soif d'avenir.

Il est maintenant temps de récolter ce que l'on a semé.

L'avion transperce les nuages, je salue une dernière fois le Québec derrière et j'ai déjà hâte d'expérimenter la « théorie du premier taxi ».

# # #

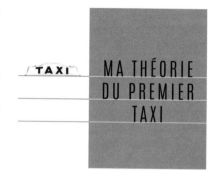

MA THÉORIE DU PREMIER TAXI

Quand on s'immerge dans l'insoupçonné de l'inconnu, l'arrivée en terre étrangère est un moment de grande humilité. Cet instant où nous récupérons impatiemment notre sac sur le convoyeur en réalisant qu'il serait à point de nous parfumer d'un semblant de fraîcheur à l'aide du premier désodorisant venu. En direction de la salle de bain pour un brossage de dents en vitesse avec de l'eau que nous ne présumons probablement pas potable, nous empruntons l'allée « rien à déclarer » et nous franchissons le seuil critique de l'aéroport.

Nous sommes maintenant officiellement en voyage.

Souvent, une bouffée de chaleur nous envahit, et l'émerveillement nous gagne. Direction le guichet automatique, ou bien le bureau de change, histoire d'être en mesure de payer le transport pour nous amener à l'endroit où nous avons choisi de passer la nuit. Quelques instants plus tard, selon le pays, nous nous retrouvons parfois nouvellement millionnaires avec en poche quelques drôles de billets qui ont souvent beaucoup de zéros suivant le premier chiffre.

Tiens, pas cette fois.

Rapidement, au moment où nous foulons la terre du nouveau pays, nous nous heurtons à une décision cruciale: prendre le transport en commun, solution peu coûteuse, ou bien se frotter à ma « théorie du premier taxi », option plus onéreuse, mais qui, pour moi, est sacrée.

C'est le seul moment où je m'autorise à payer trop cher pour un service. L'autobus pour se rendre dans la capitale est peu cher, le taxi ne se targue pas des mêmes tarifs, mais tout ça n'a aucune importance. Ce sera le taxi.

Bien sûr, il est souvent possible de négocier un peu avec le chauffeur et de baragouiner quelques palabres en langue étrangère.

WW — *Hola, amigo!* Combien pour se rendre en ville? Avez-vous un compteur?

— *45! No meter, broken.*

Dans les pays en développement, rares sont les compteurs fonctionnels, et même s'ils ne sont pas brisés, ils le seront pratiquement toujours aux yeux du chauffeur, qui ne voudra jamais le démarrer!

Là, souvent, j'utilise la technique de « la personne qui fait semblant d'être déjà venue ici et qui connaît le prix exact ». Technique ayant certaines limites, mais qui excelle parfois.

— *No, no*, la semaine dernière, j'ai déboursé 25!

— *Qué? Impossible, maybe you paid 35, but no less!*

— Oh, *claro*, hehe. On a un *deal* pour 35!

C'est de bonne guerre tout ça, et j'ai hâte à la suite.

Pour moi, les 30 prochaines minutes que je passerai avec le chauffeur valent de l'or. En m'installant sur la banquette arrière, j'ouvre à la fois la fenêtre et mon esprit. Comme une éponge, essayant de tout absorber, de noter et de retenir les moindres détails originaux et surprenants. Sortant la main à l'extérieur pour sentir le vent chaud sur ma peau, je ris, je suis impressionné.

Le paysage défile au même rythme que mon sourire s'agrandit.

Ces arbres que je ne connais pas, ces gens aux drôles d'habits, cette façon dont les maisons sont construites. Un petit restaurant aux effluves délectables qui m'a l'air délicieux, un écriteau que je ne comprends pas, ces voitures que je vois pour la première fois, un petit marché de légumes, souvent beaucoup de couleurs, quelques fois l'air salin de l'océan, des chiens et d'innombrables coups de klaxon, quelques églises ou temples, des fleurs exotiques, quelques personnes qui me saluent, mais assurément beaucoup de nouveautés. C'est le moment de faire aussi le plein d'informations concrètes avec le meilleur guide possible, le chauffeur.

C'est ça, la « théorie du premier taxi » : en pays étranger, 30 minutes de conversation avec un chauffeur de taxi, c'est l'équivalent de semaines de préparation en lisant tous les guides possibles de voyage. Je m'évite cette lecture, je préfère converser en gesticulant et en m'improvisant linguiste. Le chauffeur comprend souvent le charabia, c'est un habitué. Et s'il ne comprend pas, on s'en tire souvent avec une bonne rigolade.

On arrive bientôt, et j'ai la tête remplie de données précieuses. Le meilleur resto du coin, une chute à ne pas manquer, le meilleur quartier pour festoyer, tel endroit pour le farniente, une île pour décrocher, un volcan à escalader!

Merci au chauffeur et à cette théorie qui n'est soutenue par aucun scientifique ayant terminé son secondaire.

Je regarde l'immense enseigne à ma gauche:

Bienvenidos a Panama City!

# # #

HISTOIRE PANAMÉENNE
La leçon du volcan Barú

XVIe siècle. Certaines toiles de l'époque coloniale ainsi que plusieurs fouilles archéologiques dans le secteur semblent confirmer que la dernière éruption aurait eu lieu au cours du XVIe siècle. Le flot de magma accumulé lors de cette ultime éruption aurait façonné le relief du volcan ainsi qu'une pointe culminant à plus de 3 774 mètres, le couronnant ainsi le point le plus haut du pays. Aujourd'hui, le volcan est surveillé de près et reste toujours potentiellement actif.

QUI EST AVEC MOI ? Phil, Erick et Gab.

PHIL : Alias Turtle. Fidèle complice des 400 coups depuis ma tendre enfance, il ne se fait pas prier pour sauter à pieds joints dans chaque aventure qui se présente à lui. Il tire parfois de la patte, loin derrière, mais arrive toujours à destination. Enfin, presque toujours... **ERICK :** Alias El Ricko loco. Solide acolyte depuis plus de 20 ans, Ricko est la force tranquille du groupe, un fin danseur et un linguiste hors pair. Qualités qui nous ont été plus utiles à nous qu'à lui pour draguer dans les bars d'Amérique centrale. Nous lui serons éternellement reconnaissants. **GAB :** Alias Gabriel des savanes. Ami et mentor depuis une décennie, ensemble, nous nous rendons plus forts et devenons de meilleurs individus en repoussant nos limites respectives. Il aime le gazon fraîchement coupé et ce qui est sécuritaire. Il déteste les falaises.

Pas toujours facile, l'ascension d'un volcan...

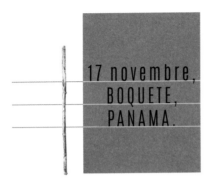

**17 novembre,
BOQUETE,
PANAMA.**

Midi. Le soleil est au zénith.

Il fait chaud, très chaud.

Étrangement, je suis en train d'essayer une tuque, des mitaines roses et un manteau d'hiver de seconde main à l'effigie d'un club de soccer panaméen. Les gars, eux, font pareil. La scène est cocasse, et nous nous regardons dans le miroir, affublés d'habits d'autant plus douteux qu'efficaces. La raison est pourtant simple, ce soir, nous dormirons dans les nuages, et la température frôlera le point de congélation. Au cours des dernières semaines, la cervoise locale a coulé à flots, mais aujourd'hui, ce sera différent, nous nous sommes promis un jour de jeûne, car nous avons fort à faire et nous entamerons bientôt l'ascension du volcan Barú.

14 h

En pleine forêt, notre guide qui parle espagnol et peu l'anglais nous fait signe qu'ici débutera la marche vers les étoiles.

Nous sortons du Jeep avec excitation en nous enfonçant dans l'épaisse végétation et en suivant un petit sentier qui s'estompe dans la montagne. Les quelques rayons qui percent la cime des arbres viennent nous réchauffer la couenne et favoriser le partage du bonheur. Rapidement, le terrain change, il y a une forte augmentation de l'inclinaison de la pente, et les rires font place à un silence essoufflé, Phil est déjà loin derrière. La jungle prend congé et fait place à une immense clairière aux herbes longues, repère idéal pour serpents de toutes sortes. Gab nous en fait part,

mais nous sommes déjà trop à bout de souffle pour nous concentrer sur autre chose que chaque pas que nous plaçons devant l'autre. Logiquement, nous pourrions monter en droite ligne, mais la montée est si abrupte que nous devons zigzaguer longuement tout en nous hissant graduellement vers le haut.

Par orgueil, je talonne le guide, mais je me demande si je serai en mesure de terminer cette excursion à cette vitesse. Je n'en suis pas à ma première montée et je connais bien mon corps. Il est important de l'écouter, je ralentis donc un peu la cadence en attendant l'arrivée du fameux deuxième souffle, de mon rythme de croisière. Ce dernier agit comme un coup de pied au derrière et donne souvent des ailes.

Je l'attends impatiemment.

Le soleil plombe et se fait lourd sur nos épaules, nous sommes détrempés, et nos mollets sont en feu. Nous rejoignons le guide plus haut, qui, lui, nous attend sagement en grillant une cigarette.

— *Donde esta tu amigo Felipe ? El* est un *tortuga* !

— Haha, oui, une vraie tortue.

— Il est juste derrière, il va finir par retontir ! Éventuellement.

Je connais Phil depuis que j'ai cinq ans, c'est mon plus vieil ami. Il n'est pas toujours le plus vite, mais c'est un persévérant qui termine toujours ce qu'il entreprend. En l'attendant, nous contemplons la vallée au loin en apercevant la charmante ville de Boquete, notre point de départ. Je prends le temps de réaliser où je suis et de m'imprégner du moment, mais je suis loin de me douter que ce que je m'apprête à vivre changera ma vie.

Nous repartons, armés de notre erre d'aller. Même Phil a pris du galon en augmentant la cadence.

Les herbes de la clairière deviennent des pierres, et bientôt, tout notre décor se veut rocailleux. Les heures passent, et je commence à frémir d'excitation en pensant à la vue au sommet, un des seuls endroits sur terre où il est possible par temps clair de distinguer l'océan Pacifique et la mer des Caraïbes ! Une vue sidérale de deux océans, un double émerveillement.

Arrivé à 3 000 mètres d'altitude, je commence à sentir doucement certains effets s'expliquant à cette hauteur : un léger inconfort suivi d'une chute de la température ambiante. Avant d'entreprendre la dernière montée vers le sommet, nous nous réchauffons en nous endimanchant de notre miteux uniforme à la coloration discutable.

Pour nous assurer de faire une entrée remarquée, tsé.

— *Esta noche*, au sommet, nous allons dormir dans une tente ?

— *No, no, en un bunker con un policía !*

— Hein ? Avec un policier ?

— *Si !*

Intrigués et légèrement anxieux, nous demandons alors à notre guide Pedro ce que fait un policier dans un bunker à cette hauteur. Il nous répond qu'il est le garde officiel de toutes les structures, les installations et les antennes radio et télé implantées au sommet de Barú. Pedro prend soin de nous avertir que le gendarme est sympathique, mais qu'il est un complet ivrogne, faute d'avoir autres choses à faire que de s'enivrer en attendant le changement de garde, toutes les deux semaines. Normalement, nous serions partants pour une légère beuverie en bonne compagnie, mais aujourd'hui, nous nous sommes promis jour de jeûne alcoolisé.

Une promesse en l'air, mais ça, nous étions loin de nous en douter.

La dernière montée est certainement la plus intense, le vent souffle de front et avec force. Le sinueux chemin de petites pierres grises s'élargit pour faire place à d'immenses plateaux rocailleux couleur sable inclinés à une quarantaine de degrés et séparés les uns les autres par de petites crevasses qui s'entre-croisent. À la file indienne, nous entreprenons la dernière étape avec fierté et entrain ; Phil, lui, nous dit de ne pas l'attendre et qu'il finira à son rythme. En regardant au loin vers le sommet, je commence à distinguer à travers un léger brouillard la silhouette de grandes et longilignes structures s'élançant vers le ciel.

Étrange.

D'infimes gouttelettes rafraîchissantes viennent bientôt nous rendre visite et nous souhaiter la bienvenue dans les nuages. Le temps est gris et humide, mais en l'espace de quelques instants et au prix d'efforts supplémentaires, nous traversons la barrière nuageuse et nous retrouvons sur un chemin plus plat en terre battue, pratiquement au sommet.

Nous nous arrêtons, le temps de souffler.

Le temps d'assimiler.

Le temps d'un sourire et de questionnements.

Au-dessus des nuages.

D'aussi loin que nous pouvons voir, un plancher nuageux aux couleurs ivoire, crème et bronze se meut en de douces ondulations au gré du vent. Pour couronner la scène, une chaleureuse et parfaite sphère de feu entame rapidement sa chute vers la ligne d'horizon. Le ciel est saphir, et le temps semble arrêté.

Se retrouver au-delà des nuages est un sentiment unique, une émotion difficile à expliquer, comme si tout ce qui se passait sous cet épais voile se voulait d'un autre monde, d'un autre temps. Au sommet, nous sommes seuls, uniques et paisibles.

Tout aussi étonnant est notre environnement immédiat.

Quelques hangars en tôle, certaines installations de ciment, des citernes grillagées et surplombant le tout, une dizaine de structures métalliques faisant office d'antennes, toutes plus hautes les unes que les autres.

Pedro nous indique le bunker où nous passerons la nuit en nous invitant à y entrer. Gab et Erick y déposent leur sac en attendant le souper et l'arrivée imminente de Phil, qui, s'il n'est pas mort en cours de route, devrait arriver sous peu.

Moi, c'est différent.

En sortant du bunker, j'aperçois un petit chemin balisé s'éloignant de notre plateau actuel et s'étirant jusqu'à une pointe montagneuse encore plus haute.

Le sommet du volcan Barú.

Au-dessus des nuages... sensation magique!

Paysage panaméen irréel.

Et, comme pour confirmer le statut particulier de l'endroit, tout en haut, une grande croix blanche y est érigée, mystiquement imposante.

Je décolle en solitaire.

Je dois toujours aller au bout des choses.

Toujours plus haut, toujours plus loin.

Délesté de mon bagage, je file à vive allure en suivant le chemin qui, bientôt, s'arrêtera net pour devenir pratiquement un parcours d'escalade. À ma gauche et à ma droite, c'est l'immensité du vide.

Pas question de tomber avant d'avoir atteint mon but. Après, c'est moins grave.

En tendant le bras, j'agrippe fermement ma main gauche sur une poigne rocheuse, j'appose mon pied droit dans un interstice et je commence la montée en répétant les mêmes gestes.

J'arrive au pied de la croix, tout au sommet. L'endroit est plat et petit en superficie.

À vue d'œil, le spectacle est indescriptible.

Devant moi, le soleil en furie ose percer lentement l'infini, faisant naître une aquarelle multicolore bariolée à la Van Gogh. Je savoure.

Du moins, je crois que j'essaie de le faire.

Mais...

Cette équation est imparfaite. Il y a un grand manquement.

Je comprends.

Je redescends en vitesse en sens inverse, en courant à toutes jambes sur le sentier qui mène au bunker.

J'ouvre la grande porte métallique avec éclat.

— Vite, vite, amenez-vous !

— On est brûlés, qu'est-ce qu'il y a ?

En un clin d'œil, Gab daigne me suivre, et nous reprenons le même sentier en galopant jusqu'au passage à la verticale.

— T'es fou, je grimpe pas là ! Si je tombe, je meurs !

— Fais-moi confiance, mets ton pied à cet endroit et hisse-toi vers le haut !

— T'es malade...

— GO !

En deux temps trois mouvements, nous nous retrouvons au pied de la croix.

Je reprends où j'avais laissé.

À vue d'œil, le spectacle n'est plus indescriptible, il est innommable.

Devant nous, le soleil en furie perce toujours lentement l'infini qui s'enflamme, faisant dorénavant naître la plus magistrale des aquarelles de Van Gogh. À un jet de pierre devant, les nuages forment d'épatantes vagues qui tourbillonnent et viennent s'écraser à nos pieds.

Le vent siffle avec vigueur une parfaite mélodie.

La musique cimente la mémoire.

Comme si nous partagions chacun un écouteur, nous sublimons l'instant d'une grandiose symphonie de violon et de piano pour accompagner la nature.

Cet instant-là, je ne l'oublierai jamais.

Nous n'avons pas parlé. Juste versé quelques larmes.

Ce moment-là allait influencer le reste de mon parcours et de ma vie.

Ce moment-là avait tellement de saveur.

Ce moment-là ne se consommait pas avec les yeux, mais avec l'entièreté de l'âme.

Ce moment-là était la définition même du bonheur.

Parce que ce moment-là, nous avons pu le partager ensemble.

Le soleil tire solennellement sa révérence en saluant la lune au passage, la symphonie prend fin en même temps que le froid s'installe. Nous redescendons alors, le corps rempli d'allégresse et de la chaleur du moment passé.

De retour au bunker, les choses prennent une drôle de tournure.

Notre guide et le policier, déjà ivres, regardent un feuilleton espagnol tout en nous faisant à souper. Erick et Phil, bien emmitouflés dans leurs lits super-posés, essaient tant bien que mal de se réchauffer en attendant leur ration de riz. Nous mangeons en discutant du moment que nous venons de vivre, de l'ascension du volcan et du paysage lunaire qu'on peut voir maintenant que la nuit vient de s'installer. Je revois sans cesse les images qui m'ont tant boule-versé à la croix.

Je souris en pensant qu'un moment comme celui-là mériterait bien qu'on trinque en son honneur, mais le policier me fait tristement signe qu'il a bu la der-nière goutte de vodka.

Pour célébrer, on repassera, mais cet instant est bien ancré dans mon for intérieur. Et nous nous sommes promis journée d'abstinence...

Reste que... une petite cervoise panaméenne serait bien appréciée.

Épuisés, en silence et à sec, nous nous endormons tranquillement.

Quand tout à coup...

BANG ! BANG ! BANG !

Trois grands coups résonnent bruyamment sur l'im-mense porte en métal du bunker.

Le policier sursaute, le guide aussi. Les choses tourneraient-elles au vinaigre ?

Qui cogne à la porte d'un bunker tard dans la soirée, à 3 774 mètres d'altitude ?

La porte s'ouvre en grinçant, et une ombre énorme apparaît dans son enclave. Un Panaméen tout en chair transportant un coffre décide d'entrer sans demander.

— *Hola !*

Jeff parle un anglais parfait et nous explique qu'il a un véhicule tout-terrain spécial pour faire l'ascension du volcan, il vient une fois par mois avec sa douce pour célébrer la vie et se saouler allègrement.

Le policier et notre guide le saluent chaleureusement, pendant que nous nous interrogeons sur le contenu de la boîte. Comme un trésor, Jeff ouvre le coffre pour en révéler son précieux contenu.

Vodka, rhum, vin et beaucoup de bières.

Trop beau pour être vrai.

Au yâble le jeûne, célébrons !

Tous en chœur, nous brisons notre promesse du matin en célébrant la vie, les nouvelles amitiés et la puis-sance de tout ce que nous pouvons partager.

Et, à 3 774 mètres d'altitude, au sommet du volcan Barú, le point le plus haut du Panama, le bonheur émane d'un petit bunker juché dans les étoiles.

# # #

Arrivés en haut, brûlés et heureux !

UN « OUI » QUI CHANGE UNE VIE

Il y a de ces moments dans une vie
où l'on se rappelle avoir pris une décision
qui changera tout le reste.
Tout cela est souvent le résultat
d'une seule réponse : « oui ».

QUI EST AVEC MOI ? John, Celine et Line.

JOHN : Mystérieux voyageur. **CELINE :** Voyageuse norvégienne captant mon attention matinale. **LINE :** Voyageuse norvégienne captant assurément mon attention matinale.

De la planche à neige sur le sable, why not ?

10 janvier, TAMARINDO, COSTA RICA.

11 h 30, 28 °C.
Arrêt d'autobus

Assis sur mon sac à dos qui me fait office de siège, je me protège le visage contre le vent chargé de sable qui souffle à mes côtés. J'attends que le temps passe et qu'il fasse son œuvre. Je n'ai pas encore pris de décision pour la suite des choses, mais j'y serai rapidement confronté. Étonnamment, ce matin, je suis tiraillé entre la tristesse d'avoir dit au revoir à mes amis qui sont retournés au Québec et à la joie de me retrouver solo devant l'inconnu des prochains mois. La décision que j'ai à prendre ? Embarquer dans le prochain autobus qui m'amènera au nord, au Nicaragua, ou bien, au contraire, me diriger vers le sud, au Panama, et éventuellement en Colombie. À ce moment précis, j'ai le regard hagard devant ce beau problème, car je n'ai aucune idée de comment je procéderai au processus décisionnel.

Parfois, la vie fait bien les choses.

Je lève tranquillement la tête vers la rue et j'aperçois un grand bonhomme qui se pavane avec deux jolies demoiselles à ses bras, fier comme un paon.

Jamais je n'aurais pu imaginer qu'il deviendrait par la suite mon meilleur ami et qu'au cours des prochaines années, je me retrouverais à ses côtés dans une grotte en Bosnie, en pleine téléréalité en Asie, et que nous allions frôler la mort dans un désert en Bolivie...

Pour l'instant, le trio s'installe juste à ma droite tout près de l'enseigne d'arrêt d'autobus. Je dois dire que je jalouse un peu le fait que je suis maintenant en solitaire et qu'il est mathématiquement – et agréablement – avantagé par les personnes qui l'accompagnent !

Le grand bonhomme me regarde et me demande naturellement où je vais.

En anglais, je lui rétorque que je n'en ai aucune idée et lui pose la même question par politesse, sans réellement accorder d'importance à sa réponse.

Il me renvoie aussitôt la balle avec l'assurance d'un champion.

— *Nicaragua. Wanna join ?*

— Euh... Si je veux aller au Nicaragua avec vous trois ?

Nous sommes souvent confrontés à ce genre de décision où la réponse découlera plus de l'instinct que de la rationalité. L'instinct trompe rarement, et ce matin-là, j'ai décidé de l'écouter.

Le taxi arrive en toussotant, le gars me tend une dernière perche.

— *Coming ?*

— Euh... Euh... Euh... *Yes !*

Ce « *yes* » là allait changer le cours de ma vie. Dire oui la plupart du temps. *That's the spirit.*

Je dépose mon sac poussiéreux dans la valise du vieux tacot en y prenant place, réconforté par mes deux nouvelles amies norvégiennes et John, mon nouveau pote mystérieux.

Direction Nicaragua.

Les semaines qui suivent en sol nicaraguayen sont endiablées de soirées festives, de beaucoup de fous rires, de belles rencontres, d'une descente de volcan rocailleux en planche à neige, d'un accident de voiture, d'une panne d'essence et d'une soirée particulière qui retient mon attention.

En osant jeter un œil par-dessus l'épaule de John qui est affairé à son ordinateur portable, je fige, médusé par le spectacle qui enflamme son écran. Sourire en coin et s'apercevant de mon état de surprise, il m'explique :

— *That's the Door to hell, in Turkmenistan !*

Les images parlent d'elles-mêmes, et l'endroit porte bien son nom, en plein cœur d'une plaine aride au Turkménistan gît une gigantesque ouverture dans le sol crachant un feu permanent et démoniaque.

John m'explique plus précisément qu'il est producteur télé et aventurier, et que lors de l'une des émissions de voyage qu'il a produites par le passé, il a dû conduire une vieille voiture de Berlin, en Allemagne, en traversant toute l'Asie centrale, pour terminer son parcours dans le sud du Cambodge.

6 mois, 30 000 kilomètres, 10 personnes, 5 voitures à 200 $, un *roadtrip* titanesque et rocambolesque.

Je suis subjugué et littéralement impressionné devant le flot d'images de cette extraordinaire aventure, mais encore plus devant une certaine séquence de l'émission où leurs voitures colorées paradent devant les reconnaissables temples cambodgiens prisonniers de lianes et du temps.

— *In Cambodia*, vous avez conduit vos vieilles bagnoles dans l'enceinte d'Angkor Wat, merveille du monde de la cité Khmer ?

— *Yes, sure ! I'll let you know if i create a new TV Show soon, a new adventure like that. I'll give you a call.*

Pratiquement un an jour pour jour à partir de ce moment-là, grâce à une autorisation historique et unique d'un gouvernement asiatique, j'allais me retrouver dans la même citée cambodgienne au volant d'un tuk-tuk thaïlandais, poursuivi par trois cameramans américains.

Mais à ce moment-là, je ne pouvais m'en douter.

Après le Nicaragua, j'ai continué mon périple pendant plusieurs mois où j'ai eu beaucoup de plaisir à surfer au El Salvador, à plonger avec les requins dans le « *Blue Hole* » du Bélize, à m'aventurer dans les grottes du Guatemala et à explorer les cénotes mexicaines, où j'ai failli y laisser ma peau, faute d'oxygène dans une bulle d'air en particulier !

Le temps passe, et il faut revenir à la maison...

Six mois plus tard, en plein été québécois, je travaille à la jardinerie familiale, quand mon téléphone résonne. Je regarde sur l'afficheur. John.

— *Can you be in Berlin in five days ?*

— Oui, je vais m'arranger, j'y serai !

Dire oui la plupart du temps.

Ce mantra allait indéniablement m'amener aux quatre coins de la terre.

# # #

Vue sur la baie, au coucher du soleil.

Le goût de l'aventure en deux images.

QUI EST AVEC MOI ? Francis, Ricko, Balboa et Phil.

JOHN : Voyageur émérite ayant visité plus d'une centaine de pays, producteur d'émissions télévisuelles d'aventures partout sur Terre. Avec John, il y a toujours une solution plus ou moins catholique pour arriver à nos fins. Sans contredit la personne la plus « capotée » que je connaisse. **CELINE :** Copilote principale de cet infernal *roadtrip* et nouvelle amie au sens de l'humour contagieux et douteux. Sans permis de conduire ni sens de l'orientation, Celine amène à notre équipe une dose d'assurance en cas de détresse physique. Elle me dit que, dans son pays, elle est médecin. Rassurant ! **LINE :** Copilote et résidente permanente de la banquette arrière, Line s'avère être une gastronome de tous les instants en nous fournissant constamment en *chips* et en sandwichs de dépanneurs. Line amène de la profondeur à notre équipe en cas de détresse physique. Elle me dit que, dans son pays, elle est médecin. Excellent !

PARTY CHASERS
Prisonnier d'un pays qui n'existe pas

Kiev, Ukraine, 21 novembre 2013, à 19 h. Un cocktail Molotov est lancé et explose sur le bouclier d'un policier des forces de l'ordre. De violentes manifestations font rage pour contester la décision gouvernementale ukrainienne de refuser de signer un accord d'association avec l'Union européenne. La situation dégénère à feu et à sang, et le mouvement contestataire prend de l'ampleur jusqu'en février 2014, où la présidence d'Ianoukovitch est rudement ébranlée.

Suivant la crue de violences et une décision du parlement ukrainien de changer la constitution en quelques minutes, le président se voit dans l'obligation de fuir Kiev en pleine nuit avec l'aide de ses services secrets. Le 22 février, le président est destitué par le parlement pour « incapacité de gouverner ». Le lendemain est la goutte qui fera déborder le vase : le conseil suprême d'Ukraine abroge la loi qui stipulait que le russe était reconnu comme deuxième langue officielle dans certaines régions du sud et de l'est du pays, entre autres, les villes d'Odessa, Donetsk et Sébastopol, capitale de Crimée. Pour la population russe de l'est du pays et de la péninsule de Crimée, c'est une atteinte directe et fondamentale à sa liberté, ce qui entraînera sur-le-champ un référendum sur le statut de la région autonome de Crimée ukrainienne. Le 18 mars 2014, en résultat au référendum, la Crimée se détache de l'Ukraine et signe un accord l'annexant à la Russie. La Russie vient de mettre la main sur un endroit stratégique guerrier convoité depuis des centaines d'années et, par la même occasion, entraîne un mouvement séparatiste violent dans l'est du pays. En mars 2015, les autorités locales de Crimée annoncent que le légendaire événement de musique électronique de KaZantip, en place depuis 1993, sera dorénavant interdit et que celui-ci se déroulera désormais au Vietnam.

23 Juillet, BERLIN, ALLEMAGNE.

Cinq jours après le coup de téléphone de John, je me retrouve au volant d'une voiture achetée 250 $ et avec comme copilotes mes deux amies norvégiennes du Nicaragua. Nous nous sommes lancés tête première dans une nouvelle illumination de John. Une équipe de tournage australo-américaine suivrait quatre groupes de trois personnes à travers un improbable rallye d'environ 10 000 kilomètres à partir de Berlin, en Allemagne, jusqu'à l'épique KaZantip, événement électronique en Crimée ukrainienne. L'idée : partir à la recherche des plus gros partys d'Europe de l'Est.

Pour la partie culturelle des voyages, on repassera.

Nous nous retrouvons sur un terrain vacant près d'une ancienne partie du mur de Berlin couverte de graffitis multicolores. Il y a quatre voitures en piteux états alignées près du mur, toutes aussi bariolées de dessins hétéroclites à l'aérosol. Une pour chaque équipe, et nous devons choisir aléatoirement. Notre bagnole qui a l'air d'un tombeau ambulant ne m'inspire rien qui vaille, mais à 250 $, je ne peux réellement espérer mieux ! Le départ est donné pour le lendemain matin, à 10 h.

« Merde, je ne vois pas comment nous allons parcourir le quart de la circonférence de la terre avec cette boîte à savon. »

Laissons la chance au coureur, ou devrais-je dire, au moteur.

Par-dessus le marché, j'apprends que mes comparses scandinaves n'ont pas de permis de conduire. Ce n'est pas l'idéal, ça, quand on s'apprête à faire un rallye AUTOMOBILE.

10 h 30.

Les autobahns allemandes sont des autoroutes particulières qui possèdent une voie désignée où la limite de vitesse n'existe à peu près pas.

Les instructions sont claires, les quatre équipes doivent rester groupées, et pour suivre la cadence, je dois appuyer bien lourdement sur le champignon.

Plus j'accélère, plus je note de drôles de bruits qui proviennent de la carlingue.

140 km/h, sous le capot, je perçois un léger « klunk klunk » peu inspirant.

150 km/h, le « KLUNK KLUNK » prend du coffre et du rythme.

160 km/h, le « KLUNK KLUNK » devient un « KLAK KLAK ».

Je me fais du mauvais sang à filer aussi rapidement avec un moyen de transport si peu adapté pour ce genre de conduite, mais les filles, elles, n'ont pas l'air de s'en inquiéter outre mesure !

À cette vitesse, il y a deux solutions classiques pour réduire ces sons d'outre-tombe.

Ralentir, ou bien monter le volume de la radio.

Le problème, notre voiture n'a pas de radio.

Ce qui devait arriver arrive.

Une fusion des sens.

L'ouïe, l'odorat, la vue, la parole et le toucher.

BANG ! Odeur de fumée ! Apparition de fumée ! Suivi d'un « Tabarnak » bien senti et d'un coup de poing sur le volant !

Après un regard furtif à ma droite, je donne un coup de volant et nous nous retrouvons dans l'accotement. Comble de malheur, deux des trois voitures du rallye filent devant sans déceler notre défaillance mécanique ! Nous nous époumonons et gesticulons furieusement sur le bord de la route, la dernière voiture du convoi nous aperçoit enfin, ralentit et se range heureusement derrière nous. On fait quoi, dans une situation comme celle-là ?

— *We need to tow the car !* me dit l'autre chauffeur.

— *Tow the car? Tu veux dire appeler une remorqueuse?*

— *No, no, we cut all the seatbelts with my knife, and we tie them together and then I pull you with my car!*

Couper toutes les ceintures de sécurité, les attacher ensemble pour qu'ensuite je me fasse tirer par sa voiture sur l'autoroute?

— Es-tu certain que c'est une bonne idée?

— *Yes! Oh, but hold on... I think I saw an old rope in the trunk!*

Je ne suis pas plus encouragé par l'idée de la corde qui ne doit pas faire plus de trois mètres de long... C'est très court, et cela me donne peu de temps de réaction si je dois freiner brusquement. Encouragé ou pas, me voilà sous le véhicule à essayer de trouver un endroit qui ne soit pas rongé par la rouille pour attacher notre ficelle.

Quinze minutes plus tard, nous filons à plus de 130 km/h, au volant de notre voiture décédée et sur le neutre, tirée à l'aide d'une courte corde douteuse par un chauffeur fou ou inconscient.

Excellent.

Si j'avais été baptisé, j'aurais été excommunié à cause de tous les blasphèmes prononcés ce jour-là.

Contre toute attente, la corde et mes nerfs tiennent le coup, et nous arrivons sans tambour ni trompette à Dresden, un charmant petit village allemand. Les deux équipes qui ne se sont pas arrêtées lors de notre malchance mécanique ont déjà traversé la frontière en République tchèque et nous y attendent. Le problème est que notre véhicule possède un aller simple à la ferraille, et je n'ai pas envie de finir le rallye à pied. Que faire?

Je me rappelle alors une enseigne qui m'a profondément marqué lors d'un voyage en Inde:

« *A lot can happen over a coffee.* »

C'est en sirotant un café avec mes amies norvégiennes, les participants de l'autre équipe et deux caméramans de l'équipe technique qu'un homme vient nous aborder, intrigué. Il se demande avec raison ce qu'un véhicule couvert de graffitis fait attaché par une simple corde à un autre véhicule, lui aussi décoré de la même façon. Nous lui expliquons l'improbable histoire qui nous amène ici même, à Dresden. Il passe alors un coup de fil. Un ami à lui possède une vieille Volvo rouge vif en parfait état à vendre, mais ne trouve pas d'acheteur depuis plusieurs semaines. Une quinzaine de minutes plus tard, nous déboursons 500 euros en lui serrant la main.

Prêts pour 10 000 km: c'est un départ!

Au sens propre et figuré, nous étions en voiture !

Commence alors un véritable exercice mental et physique me forçant à conduire de 10 à 15 heures par jour et à devoir faire le party le soir jusqu'à tard dans la nuit.

On est chasseur de partys ou on ne l'est pas.

Toutes les villes y passent.

Abus d'absinthe à Prague et à Český Krumlov, en République tchèque.

À Budapest, en Hongrie, les choses se corsent, et le lendemain d'une avalanche de *shooters* de palinka, eau-de-vie traditionnelle hongroise, deux participants épuisés et en pleurs décident de quitter l'aventure. Leur véhicule tire tout aussi noblement sa révérence en refusant de démarrer. Après une courte cérémonie d'adieu, nous les abandonnons dans un stationnement sous-terrain, enlevons la plaque d'immatriculation et, ni vu ni connu, déguerpissons. La troisième personne de cette équipe se greffe sans autre option apparente à bord d'un autre groupe.

La fatigue augmente de jour en jour, et je me demande si je serai en mesure de continuer jusqu'à la fin. N'oublions pas que je suis le seul conducteur de mon équipe, contrairement aux autres, qui peuvent se relayer et se reposer.

Je suis frappé par la beauté de la pittoresque ville de Mostar, en Bosnie, où nous faisons la fiesta dans une mystérieuse caverne jusqu'au petit matin.

Le lendemain, je suis estomaqué par Sarajevo, une ville lourde d'histoire et où, comme du gruyère, certains murs sont parsemés de trous de balle de fusil.

S'ensuit un mémorable party sur la rivière à Belgrade, en Serbie. Mémorable pour ce que je m'en souviens, bien sûr.

En route vers la Roumanie, mes paupières deviennent excessivement lourdes.

2 h.

Je me questionne à savoir s'il n'est pas plus prudent que je dorme quelques minutes sur le bord de la chaussée, mais on me fait signe que nous serons dans la capitale, à Bucarest, sous peu.

Si tout se passe sans encombre, bien évidemment.

« *Keep going Gui, you can do it !* »

Je suis au volant depuis plus de 14 heures aujourd'hui, la nuit est tombée depuis longtemps, et mon énergie aussi. Le seul moyen pour rester éveillé ? Ouvrir grand la fenêtre pour sentir la nuit froide et saisissante, chanter à pleins poumons du Francis Cabrel (ce qui

emmerde royalement mes coéquipières norvégiennes à l'arrière), baisser mon siège au maximum vers l'arrière et me pincer constamment le visage.

Dire qu'il y a quelques mois, au Nicaragua, je regardais les images d'une aventure similaire sur l'écran d'un ordinateur, là, je suis en plein dedans.

Je constate à quel point ce n'est pas évident tout ça, mais je me dis que nous arriverons dans quelques jours à notre objectif au sud de l'Ukraine.

Dans cette nuit noire comme le charbon, les seules choses que je distingue sont les champs de blé d'Inde éclairés par la lune et deux petites lueurs devant. Les phares du véhicule conduit par les trois Californiennes.

Ces trois filles-là m'impressionnent, je les croyais « bourgeoises et princières », mais elles se sont révélées de véritables reines du volant. Aucun problème mécanique, aucun accident, que de charmants sourires !

Ne jamais vendre la peau de l'ours avant de l'avoir tué.

Leurs phares devant rougissent soudainement, les freins sont appliqués, puis le véhicule s'immobilise drastiquement en crissant. Je sors de la Volvo pour constater.

— Il se passe quoi, ça va ?

— *Not sure, think the engine just blew up ! Shit.*

L'ours était finalement encore vivant, mais le moteur, lui, venait de rendre l'âme.

Nous sommes rejoints par l'autre équipe ainsi que les deux véhicules de la production de l'émission. Les caméramans sortent illico pour capter le moment.

Réagir dans un moment comme celui-ci n'est pas toujours évident et encore moins dans une situation de téléréalité où tous les faits et gestes sont scrutés à travers une lentille.

Dans un dernier souffle, nous constatons avec tristesse.

« Cette voiture vient de trépasser en toussotant son dernier adieu. »

La route est étroite et laisser le véhicule dans la voie de droite pendant la nuit en pleine campagne s'avère dangereux pour d'éventuels passants. Il est donc convenu d'enlever la plaque et de pousser le véhicule en bordure du champ de maïs. Je songe intérieurement qu'une drôle de surprise attendra certainement le Roumain qui procédera à la récolte sur son tracteur.

Les trois filles embarquent avec les caméramans et la production.

4 h.

Je suis littéralement crevé. Dans une heure tout au plus, nous arriverons dans la capitale pour y passer la nuit. Enfin.

Longue traversée… vive l'imprévu !

Mais 30 minutes plus tard, un nuage de fumée blanche s'échappe de la vieille Ford Escort des caméramans, et à moins d'y élire un pape, il y a un réel problème.

— Qu'est-ce qui se passe, encore ?

— *The clutch just burned...*

J'ai appris ce jour-là que la pédale d'embrayage n'était pas nécessaire pour conduire un véhicule à vitesse. Seul inconvénient, une fois démarré sur la compression, c'est-à-dire en poussant le véhicule, le véhicule ne doit jamais s'arrêter, sinon il est extrêmement difficile de le redémarrer. Je résume le tout avec le chauffeur.

— Attends, tu vas conduire une voiture qui ne peut s'arrêter, et ce, même en pénétrant dans la capitale ?

— *Yes !*

— Il se passera quoi si tu dois t'immobiliser à un éventuel feu rouge ?

— *We'll figure it out !*

Évidemment, *we'll figure it out.*

Nous reprenons la route avec appréhension, et bientôt, une enseigne nous indique que notre tonitruante arrivée est imminente.

Bucarest 2 km.

C'est l'arrivée dans une capitale la plus marquante de ma vie.

Imaginez-vous une vieille voiture blanche filant à toute vitesse comme une enragée, brûlant feu rouge sur feu rouge, panneau d'arrêt sur panneau d'arrêt et qui tourne comme une toupie à tous les ronds-points possibles en attendant de prendre une décision sur le chemin à emprunter !

Et les trois autres véhicules qui essaient de la suivre pour ne pas la perdre de vue.

Un vrai chaos.

Sous une bonne étoile, nous arrivons aléatoirement à l'hôtel, sans encombre ni constat d'infraction, complètement étourdis par ce qui vient de se passer.

Quatre heures passent, et ce matin-là, je me fais un nouvel ennemi, le réveille-matin.

J'apprends promptement que la vieille Escort sans embrayage doit finalement être réparée et que le tout prendra de une à deux journées. La production tranche, nous pouvons prendre ce temps pour nous reposer. Enfin !

« *Thank God.* »

Subitement, mon téléphone sonne.

C'est Lesya, ma très jolie amie russe rencontrée deux ans auparavant aux Philippines. Elle a vu sur les réseaux sociaux que je serai en Ukraine le lendemain, et, heureux hasard, elle pourra m'attendre à Odessa,

La téléréalité : toujours en observation.

MER NOIRE
CRIMÉE
KaZantip

ville accostée à l'océan et directement sur le chemin de KaZantip !

Merde. Je ne veux pas manquer le bateau et, qui sait, l'amour de ma vie ! Pas le choix, je me dois de convaincre mon équipe ainsi que la production de partir, maintenant !

Chose dite, chose faite. La rhétorique de l'amour est puissante.

En un éclair, nous revoilà sur la route en direction de la frontière moldave. Les consignes sont claires, nous traverserons la frontière en solo, roulerons sur quelques kilomètres en Moldavie, puis une fois la frontière ukrainienne franchie, nous mettrons plein cap au sud jusqu'à Odessa où j'irai chanter la pomme à mon amie russe. C'est là que nous sommes censés attendre le reste du convoi.

Mais les choses ne se dérouleraient pas aussi facilement.

À la nuit tombée, nous arrivons au poste-frontière moldave, endroit lugubre et semblant inhabité. J'avance tranquillement vers une guérite éclairée en intermittence par une mauvaise connexion électrique. Un vieux moustachu y est endormi sur sa chaise. Je cogne trois fois.

TOC. TOC. TOC.

Je tire le moustachu de ses rêveries et le rappelle à l'ordre. Il ne semble pas apprécier et me regarde d'un air sévère.

— *Hi, Sir, we would like to cross the border and then drive directly to Ukraine.*

Il faut comprendre qu'à cet endroit précis, la Roumanie et l'Ukraine ne sont séparées que par la pointe sud de la Moldavie et que cette pointe s'étire sur deux ou trois kilomètres.

Avec un fort accent des pays de l'Est et massacrant abondamment la langue de Shakespeare, mon bourru moustachu s'impose en nous demandant si nous avons les permis nécessaires pour entrer avec des voitures en Ukraine, sinon « *Forget about it* ».

Nous comprenons que le problème n'est pas nécessairement d'entrer en Moldavie avec le véhicule, mais une fois sortis dudit pays, nous serons dans une impasse d'une centaine de mètres. Un endroit qui rappelle un genre de « *No Man's Land* », une bande de terre entre la sortie moldave et l'entrée ukrainienne. Une impasse, car si nous ne pouvons entrer en Ukraine faute d'une autorisation adéquate, les autorités moldaves pourraient ne pas nous laisser rentrer en sens inverse. Nous serions donc prisonniers d'une bande de terre, où nous ne pourrions plus sortir, d'un côté comme de l'autre !

J'insiste auprès du douanier en lui expliquant implicitement que nous pourrions payer un droit d'entrée, mais celui-ci refuse catégoriquement et nous oblige à retourner du côté roumain.

J'appelle John et lui explique la situation.

Pour John, il n'y a que des solutions dans ces cas particuliers.

La stratégie ? Se rejoindre à un poste-frontière plus au nord et réessayer. La Ford Escort a été réparée plus rapidement que prévu, et vers minuit le jour même, toutes les équipes sont rassemblées à la file indienne devant un douanier moldave tout aussi étonné qu'ébahi par le spectacle devant lui. Deux voitures aspergées de toutes les couleurs, une vieille Volvo rouge, une Escort décapotable blanche et une douteuse Volkswagen Passat noire de la production. Une dizaine de voyageurs d'un peu partout dans le monde qui ne demandent qu'un droit de passage.

La réponse de ce nouveau douanier est pourtant la même :

« Entrer en Moldavie peut se faire, mais sans autorisation ukrainienne requise pour les véhicules, vous ne pourrez franchir leur frontière et, faute de pouvoir revenir en Moldavie, vous serez prisonniers du "No Man's Land". »

John insiste en ajoutant l'argument financier à l'équation. Le douanier passe alors un coup de téléphone.

Il peut être risqué de tenter de soudoyer un douanier, mais la fin justifie les moyens. La tension est palpable, et John est finalement appelé au bureau d'un supérieur.

Deux heures passent.

Nous nous regardons tous, sans sortir des véhicules, en essayant de comprendre le déroulement des opérations, lorsque John rapplique rapidement et nous résume l'entente que nous pourrions envisager.

Un accord financier payable 100 $ US par véhicule fait à l'abri de toutes caméras gouvernementales, nous donnant accès à la frontière ukrainienne.

Le tout à nos risques et périls, avec un taux de réussite pratiquement nul.

Quelles lois s'appliquent-elles dans une situation comme celle-ci ? J'aime mieux ne pas y penser. Un pot-de-vin de 100 $ par véhicule, ça va, mais le fait de savoir que nous pouvons rester prisonniers entre deux pays m'excite et m'effraie en même temps !

Mon véhicule passe devant le douanier, je montre les passeports, paie. Ça va.

Le reste du groupe applique la même procédure, et tout baigne.

4 h.

Nous roulons tranquillement dans la pénombre en suivant l'étroite avenue. Il n'y a aucune lumière. Personne ne parle, car nous savons très bien que, prochainement, nous sortirons de la Moldavie et entrerons dans la partie entre les deux pays tant redoutés.

J'aperçois le poste-frontière annonçant la délimitation du territoire moldave. Nous passons devant un douanier qui a été averti de notre venue, et celui-ci nous sert un dernier avertissement dans un anglais moyen, qui se résume ainsi :

— Oubliez ça ! Vous allez sombrer entre deux juridictions, c'est de la folie. Vous courez à votre perte. Retournez en Roumanie !

Nous étions fortement décidés à déjouer les probabilités.

Nous pénétrons alors dans les abysses d'un endroit n'appartenant à aucun pays et qui pourraient bien nous faire office de prison. Le moment est irréel, de chaque côté de cette route en terre battue, un véritable cimetière de véhicules datant de l'époque soviétique.

Une lumière scintille au loin.

La frontière ukrainienne.

Nous arrivons à la guérite, et un douanier tout en habit à l'allure militaire nous fait signe d'arrêter les véhicules sur-le-champ.

— Bonsoir, monsieur, nous aimerions nous diriger en Crimée.

Étonné, il répond sans hésiter :

— *I need to see your passports and the authorizations of the Ukrainian government that you can enter and leave the country with the cars.*

— Nous n'avons malheureusement pas d'autorisation.

Je retiens mon souffle.

— *What ? With no authorization, you can't enter this country. Sorry. Go back in Moldova !*

— Nous ne pouvons pas retourner en Moldavie !

— *I don't care, get out of here !*

Le pire des scénarios se concrétisait, nous étions maintenant prisonniers d'une prison qui n'existe pas. Otages de notre témérité.

Les carottes sont cuites, voire complètement cramées.

Nous sommes sidérés, mais en même temps, nous connaissions les conséquences.

La meilleure arme dans ce genre de situation ? Analyser le contrôle que nous avons.

Nous sommes là, confrontés à cette situation insolite, et il ne nous sert à rien de regarder derrière et de trouver des coupables. Sur quoi avons-nous le contrôle présentement et que pouvons-nous accomplir grâce à ce contrôle ?

En ce moment, pratiquement rien. Reposons-nous, festoyons et nous verrons demain. Nous sommes chasseurs de partys, après tout !

La nuit porte conseil, quelques fois.

Je me souviendrai toujours de cette nuit, entre deux pays, à boire un mauvais mousseux ainsi que quelques bières tablettes que nous avions. Sans savoir quel sort le lendemain nous réservait.

Épuisées, certaines personnes ont dormi dans les véhicules, sur le toit des voitures ainsi qu'effondrées sur la terre battue du chemin.

Au petit matin, il nous fallait user de stratégie. C'était finalement le seul contrôle que nous avions.

6 h.

Nous espérions un changement de garde au poste-frontière et un peu plus d'indulgence. Nous décidons de jouer le grand jeu.

Nous arrivons en fanfare avec notre convoi issu d'une autre galaxie, les caméras apparentes et bien braquées sur la situation. Imaginez-vous le douanier ukrainien, ce matin-là. Il venait probablement de se réveiller, de boire son café et s'attendait à une petite journée tranquille comme à son habitude. À 6 h, c'est 12 hurluberlus d'une téléréalité qui lui souhaitent « Good morning, Sir » !

Du jamais-vu.

Il est pratiquement tombé en bas de sa chaise, heureusement sans douleur. Nous lui expliquons la situation, il nous demande les autorisations que nous n'avons pas, mais ne semble pas s'en préoccuper outre mesure.

— *You guys do a TV Show ?* dit-il, médusé.

— *Yes !* Nous avons conduit sans relâche de Berlin en Allemagne et tentons par tous les moyens de nous diriger vers l'incommensurable party électronique KaZantip au sud de la Crimée ukrainienne.

— *You guys are going to KAZANTIP !* s'exclame-t-il dans sa moustache matinale.

La majorité des Ukrainiens connaissent KaZantip, c'est un party légendaire donnant directement sur la mer morte.

Heureusement, nous venons de tomber sur un vrai *fan*.

Et c'est avec une chaleureuse poignée de main et quelques *selfies* qu'un bon matin de juillet, nous allions déjouer toutes les probabilités en traversant en Ukraine sans les autorisations nécessaires, pour conduire plusieurs centaines de kilomètres sans sommeil et festoyer le party de notre vie en abusant de champagne, de lasers et de bonne compagnie.

Tout ça, sans savoir qu'au même endroit, quelques mois plus tard, les vaisseaux de guerre de l'armée russe débarqueraient et annexeraient ce territoire.

Et mon amie russe Lesya, dans tout ça ? Je l'ai manquée de peu à cause de la nuit passée entre les deux pays, mais cela ne m'empêchera pas de la recroiser quelques années plus tard, par hasard, dans un petit bar sur l'île de Malte, en Méditerranée.

Mais ça, c'est une autre histoire.

# # #

Attendre le changement de garde du douanier. No stress !

KaZantip... avant la fête !

LE POUVOIR DE VIVRE
PLUS D'UNE VIE

Nous n'avons qu'une simple certitude dans la vie, c'est que celle-ci doit se terminer un jour. Nous n'avons point de contrôle sur le quand, le où, ni le comment. Sachant cela, nous possédons une arme puissante.

Le pouvoir de décider comment nous la mènerons.

En voyage, je suis souvent frappé par une drôle de sensation, parfois en une courte période de temps. J'ai l'impression d'avoir vagabondé depuis un long moment déjà alors que je suis à peine arrivé. C'est comme si, en voyage, nous avions la capacité de ralentir le temps pour vivre plus que normalement.

Est-il possible de vivre plus que normalement?

J'ose croire que oui. Si nous choisissons de le faire.

En nous aventurant dans l'inconnu, en sortant de notre confort, nous sommes confrontés à un flot d'informations nouvelles tellement puissant que notre cerveau en sera drogué de nouveautés. Une drogue qui, une fois consommée, amène à un nirvana difficilement explicable et à un sevrage pratiquement impossible. On peut se lasser de la routine, mais pas de la nouveauté.

Parce que, pour la personne qui veut bien le remarquer, l'émerveillement est partout. Autant dans les petits détails que dans les moments de grands éclats. Autant dans les moments plus difficiles que les plus savoureux.

Le bonheur se consomme de plusieurs façons, certes, mais un bonheur particulier se vit à travers l'inattendu du voyage.

Partir à la découverte du monde, c'est une expérience sensorielle complète.

De la phò délicieuse des rues de Saigon jusqu'aux tréfonds de la baie d'Halong à bord d'un immense navire en bois vietnamien. Des odeurs inconcevables d'un bûcher de Varanasi jusqu'à l'éclatant Taj Mahal indien. D'un rafraîchissant ceviche péruvien jusqu'à la cime indétrônable du Machu Picchu. D'une tempête dans le désert omanais jusqu'à l'immortel Himalaya népalais. D'une auberge insalubre en Thaïlande jusqu'à la piscine infinie d'un hôtel cinq étoiles au Panama. D'une intoxication alimentaire dans un dortoir guatémaltèque en passant par la dégustation de poissons frais à Fiji. Il est apaisant d'être aussi impressionné par le rugissement du tigre du Bengale que par le travail rigoureux de la fourmi colombienne.

Chaque instant, petit ou grand, laisse une trace. Une empreinte parfois discutable sur le coup, mais normalement excellente par la suite, car souvent les pires moments à découvrir le monde deviennent les meilleures histoires à raconter.

En revenant du périple, nous ne revenons pas à la réalité, nous revenons enrichis d'une réalité différente où nous avons le sentiment d'avoir beaucoup vécu.

C'est grisant, la piqûre du voyage.

Car une fois que l'essence de la piqûre est bien diffusée partout dans les veines et que l'extase monte à la tête, c'est déjà la fin.

Ou devrais-je dire le début ?

Le début du choix de vivre plusieurs vies, ou de simplement vivre pleinement la sienne.

QUI EST AVEC MOI ? Philippe.

PHILIPPE : Alias Balboa. Valeureux ami de longue date et haltérophile à la force titanesque tirant sa puissance explosive dans les plaisirs simples de la vie. Balboa soulève aisément des montagnes, mais les rigueurs islandaises et ses sommets enneigés viendront-ils à bout de cet Atlas des temps modernes ?

HISTOIRE ISLANDAISE
Champagne et détresse gastronomique

Fin des années 800, Norvège de l'Ouest. Enseveli sous
d'épaisses brumes matinales, le pied du navigateur
Flóki Vilgerdarson quitta sa terre natale et prit place
dans le fond de l'embarcation. Le courageux Viking
offrit un regard de connivence à son petit équipage,
puis inspira longuement en regardant l'océan infini
qui s'offrait à lui. Un chemin qui le confronterait
à son destin. Allait-il un jour revenir en Norvège ?
C'était aux Dieux de décider.

En redoutable explorateur, il désirait ardemment trouver cette île mystérieuse dont il s'était émerveillé en entendant le récit des célèbres Vikings Naddod et Gardar. Flóki n'était pas surnommé « Flóki aux corbeaux » sans raison, il emmena avec lui trois corbeaux qui lui indiqueraient possiblement la piste à envisager pour arriver à bon port. Après une courte halte bienveillante aux îles Féroé, l'équipage reprit le large, lorsque Flóki décida de libérer le premier corbeau. Dans un instinct de survivance, le corbeau chercha la terre ferme la plus aisément accessible et celui-ci se retourna net en s'envolant férocement contre le vent en direction opposée et ne revint jamais. Flóki déduisit que ce premier corbeau avait fait marche arrière, de retour vers les îles Féroé. De mauvais augure pour la suite des choses. Le temps passa, et la bourrasque emplit aisément leur voile et fit naître des espoirs nouveaux. Flóki libéra le deuxième corbeau et celui-ci fila dans une direction différente. Les Vikings attendirent longuement, muets, en espérant ne jamais le revoir et pouvoir ensuite diriger l'embarcation vers cette avenue inespérée. Un battement d'ailes déchira le silence océanique et leur espoir conquérant. Faute de terre ferme à proximité, le corbeau réapparut dans son sillon et se percha au sommet du mât du vaisseau. Aucune terre. Entraînés par la rafale, les jours passèrent au même rythme que les provisions s'amenuisaient. La barbe et le regard long, Flóki libéra l'ultime corbeau. L'oiseau prit rapidement une tangente sud-ouest et disparut. L'infernale attente. S'en suivit une bouffée d'espoir. Le corbeau ne revint jamais. Direction sud-ouest. Rapidement, la terre se fit belle, et en accostant, affamé de cette découverte, Flóki savait qu'il venait d'atteindre l'énigmatique objectif qu'il espérait tant. Au sommet d'une montagne qu'il venait difficilement de gravir pour se donner une vue d'ensemble de l'endroit, il aperçut un fjord magistral étouffé par les glaces immortelles et s'exclama en haletant : « Ísland. » Le pays couvert de glace.

Deux pouces en l'air pour l'imprévu !

28 juillet, JUISKÓGAR, ISLANDE.

— Ton pouce! Mets ton pouce plus haut!

— Ça fait 20 minutes que je fais l'abruti en faisant un *thumb's up* à des courants d'air.

— Arrête de te plaindre, on a une bonne étoile, il y a toujours quelqu'un qui s'est rapidement arrêté pour nous prendre.

— Justement, d'après moi, notre étoile a pris une pause syndicale, à quelle distance sommes-nous de Skógar?

— Cinquante kilomètres.

— Il se fait tard et il commence à faire froid, il faudrait peut-être considérer établir notre campement dans la plaine derrière.

— Attends, je change de stratégie.

Je devais peut-être avoir vu ça dans un film, du moins j'anticipais une scène particulière dans une circonstance de grande attente lors d'une séance d'autostop.

Il y aurait toujours la manière charnelle pour attirer l'attention, le scénario où la ravissante demoiselle attend solitairement le pouce bien en l'air, et lorsqu'une filée de voiture s'arrête brusquement dans l'espoir de la voir monter à bord, trois complices hippies aux ruraux arômes sortent de derrière un rocher et s'imposent à leur tour dans la bagnole.

Le tout devant le regard médusé du bon samaritain qui constate qu'il vient de se faire majestueusement entourlouper par-derrière et sans consentement.

Analysant froidement mon complice Balboa, je constate qu'il ne possède en rien les attributs nécessaires définissant la « ravissante demoiselle » de l'histoire, au contraire. On passera donc pour la partie charnelle de l'opération.

Étant habitué à trimballer mon éternel bagage d'épaule dans de pareilles situations, j'expliquai à Balboa qu'ayant plus d'un tour dans mon sac, j'allais me diriger vers le petit magasin de spiritueux juste en face.

— Pourquoi t'irais là?

— Chercher un appât!

— Hein?

Ma quête se voulant très précise et se caractérisant en une typique bouteille verte affublée d'une grosse étiquette orange.

Du Veuve Clicquot.

— *How much?*

— *6 500 Icelandic krona.*

— Parfait, merci!

De retour sur l'accotement où Balboa m'attend incrédule avec le pouce vers le ciel, je lui explique alors mon plan alcoolisé.

— R'garde Balboa, je fous la bouteille de Veuve en l'air comme ça, et tu vas voir que la première voiture qui va s'arrêter va penser que nous voulons lui donner!

— Et tu vas vraiment la donner? Combien t'as payé ça?

— 80 piastres! On verra, je la partagerai si c'est une ravissante demoiselle dans un Porsche Cayenne.

— Haha, imbécile, tu nous as vus? On a l'air de deux pauvres va-nu-pieds, et tu as un sac de poubelle comme imperméable!

— Tu verras! Regarde, une voiture s'approche.

Un vieux tacot coréen vert lime avec le parechoc arrière tenant au *duct tape.*

— Ce n'est pas une Porsche Cayenne...

— *Dude*, arrête de niaiser et fous la bouteille dans les airs!

Comme par magie, la voiture s'immobilise à notre hauteur, et la fenêtre se baisse.

— *Nice bottle, guys! Where are you going?*

— On essaie difficilement de se rendre à 50 kilomètres d'ici, à Skógar! *You?*

— *I'm going to Skógar! Jump in!*

La stratégie à l'appât de la région de Champagne avait fait fureur, et nous atteignons finalement le point de départ de notre grande expédition.

— Tu devrais lui donner la bouteille, Gui, il a été super *smatte*.

— Oublie ça, j'ai un plan bien plus grandiose pour cette bouteille.

Le futur va me prouver que je ne me suis pas trompé sur cette dernière affirmation.

Nous sortons du véhicule en remerciant notre heureux bienfaiteur qui va repartir, malgré lui, la gorge sèche.

Aussitôt, un bruit sourd et puissant nous saisit sur place.

Nous levons les yeux en direction du cataclysme.

Un spectacle immense.

Un déversement d'outre-monde, un mur d'eau titanesque et limpide séparant de chaque côté d'émeraudes falaises. Un voile de vapeur d'eau habillant l'entièreté de la scène et faisant naître le spectre continu de la lumière du soleil.

Un sensationnel arc-en-ciel auréolant la mystique chute de Skógafoss.

— *Holy shit...*

— On met la tente ici!

Je m'endors en cuillère, amouraché à ma bouteille de Veuve Clicquot et bercé par le grondement incessant de la cascade venue d'en haut.

— Réveille! Il faut décoller bientôt si on veut se rendre à Þórsmörk.

— Tu ne connais pas l'adage: « Si tu tiens à ta vie, ne réveille pas le grizzly qui hiberne »?

— Non, jamais entendu!

— Eh bien là, oui! Du calme, du calme, ça va être des « *peanuts* », cette excursion!

— Le dépliant indique entre 10 et 12 heures intenses de marche, et même parfois le *trek* doit se faire en deux jours.

— Laisse faire les dépliants, ils ne sont strictement bons que pour partir des feux, on va te faire ça « sur un moyen temps »!

— N'oublie pas que nous avons 50 lb d'équipement sur les épaules!

— *Easy easy*, Balboa, faut jamais trop se préparer, tu sais bien que tout finit par s'arranger.

J'allais, malgré moi, constater sous peu que je sous-estimais grandement le sinueux tracé islandais qui nous attendait.

Les provisions sont rapidement rassemblées, et sans lésiner sur la quantité et l'exquise qualité des aliments.

Deux œufs à la coque, deux sandwichs au beurre d'arachide et deux bouteilles d'eau s'ajoutent à notre fardeau personnel.

Je n'apprendrai donc jamais qu'il vaut toujours mieux se départir de ce que l'on a plutôt que de chercher à obtenir ce qui est impossible à avoir.

— On a en masse de *stock*, Balboa, de toute façon, il y aura sûrement un super restaurant à la fin du parcours, ce soir, c'est filet mignon et cabernet sauvignon!

Nous entamons alors l'ascension des 400 marches longeant la chute de Skógafoss qui nous amènent hâtivement sur un monticule se vantant de détenir l'exclusive vue panoramique des environs.

Nous constatons avec émerveillement pourquoi tant de gens décident de venir ici se farcir l'esprit de cette unique beauté. En regardant vers le bas, on peut apercevoir une rivière scintillante de mille diamants naissant à la base même où vient mourir l'époustouflante cataracte. Bordant le cours d'eau, des prés verdoyants et sans fin habités par de taciturnes bovidés errants dans l'herbe longue de la plaine.

Au loin, l'océan.

En tournant la tête à notre niveau et vers le cœur de l'Islande, un terrain de jade tourmenté d'un volcan enneigé et de la suite de notre aventure.

Les spectaculaires chutes de Skógafoss.

Grisant, tout ça.

Nous entamons alors une expédition qui allait s'avérer être une des plus spectaculaires et ardues que nous ayons jamais accomplies.

Le temps nous conforte de sa chaleur, et dans un défilé tiré d'une parade de haute couture, les paysages paradisiaques se succèdent un à un avec prestance. Canyons sans fond coiffés de filets de cristal aquatique s'abreuvant à même les glaciers, pics et volcans drapés d'un éternel manteau opalin, le tout parsemé d'une kyrielle de cascades se livrant un furieux concours de beauté.

En chemin, nous croisons quelques cousins de l'hexagone s'emmenant en sens inverse.

— Bonjour! D'où venez-vous aujourd'hui?

— Du coup, nous avons amorcé l'expédition très tôt après avoir passé la nuit au petit camp de base installé au sommet d'une crête montagneuse au loin là-bas. Et vous, à quel endroit vous dirigez-vous? Au camp de base?

— Non non, du tout, nous voulons atteindre Þórsmörk dans la vallée!

— Avec tout cet attirail sur les épaules et à cette heure? Impossible! Le simple fait de vous rendre au camp de base ne sera pas de la tarte.

— Merci, nous allons considérer toutes les options. Bonne marche!

Balboa et moi échangeons un regard de complicité en sachant très bien que nous ne considérerons aucune autre option.

— On se rend à Þórsmörk.

— Clairement! Regarde là, une croisée des chemins et une pancarte!

« Kilomètre 13 sur 25. »

Sentier gauche en rouge: niveau de difficulté élevé.

Sentier droit en bleu: niveau de difficulté régulier. »

Il est 14 h.

— Tout le monde prend celui de droite.

— Raison de plus pour prendre celui de gauche!

Toujours tourner à gauche, cela fait vivre de grandes choses.

Courte halte gastronomique, le *cul* dans le gazon et le bonheur dans le tapis.

— Combien de temps avant le camp de base, tu penses?

— Bah, d'après moi, on a déjà parcouru plus de 13 kilomètres assez rapidement, donc si le camp est au seizième kilomètre, je dirais encore deux heures, si le terrain reste aussi plat.

Cependant, le terrain en a décidé autrement !

Et la bourrasque est sournoisement venue accompagner le changement de dénivelé.

L'ascension se fait de plus en plus difficile, et un léger scepticisme s'empare de nous. Nous sommes seuls dans une vallée parsemée de cailloux, ceinturés de chaque côté par d'énormes monticules habités d'une épaisse couche de neige qui refuse de fondre. À cet endroit, il n'y a ni sentier ni indication, nous avançons comme des robots en estimant que c'est la bonne et unique chose à faire.

Seuls témoins de l'opération, l'Atlantique Nord derrière et les rayons de Galarneau tout en haut.

Nos pas deviennent de plus en plus lourds et lents, freinés par l'inclinaison de la pente et l'autoroute de vent qui nous fracasse le visage. Les 50 lb que nous portons chacun sur les épaules en pèsent maintenant plus de cent. Nos échanges deviennent également courts et concis.

— Gui, je ne suis pas certain que...

— Ouin, haha, on aurait peut-être dû prendre le chemin de droite.

— Il reste de la bouffe ?

— Non.

— On avance, pas le choix.

Malgré nous, toujours avec le sourire, c'est important. De toute manière, j'ai une bouteille à *popper* et pas question que ce ne soit pas mémorable.

16 h.

Un avantage non négligeable que nous possédons, c'est qu'à cette date de l'année, il ne fait pratiquement jamais nuit en Islande. Alors, pas question de se faire prendre les culottes baissées par la noirceur.

Les culottes baissées dans la noirceur, ça va, mais dans d'autres circonstances.

Soudain...

— Regarde tout en haut, là-bas !

— Eh, merde !

Le camp de base.

Au point culminant de la falaise.

— On monte comment ?

— Aucune idée, mais attends, regarde là.

Le commencement d'un « petit sentier ». Abasourdis en le longeant des yeux, zigzaguant de la base à son sommet...

Inclinaison de la pente de 45 degrés.

Sourire malgré les bourrasques.

Deux naïfs pendant l'ascension.

MER DU GROENLAND

MER DE NORVEGE

ISLANDE

MER DU LABRADOR

Skógar
★

MER DU NORD

OCÉAN ATLANTIQUE

— *Fuck...*

— Je ne suis pas certain d'être en mesure de monter cette histoire-là avec tout ça sur le dos, mes réserves d'énergie seront bientôt à zéro.

— Pareillement, grandes dents.

— As-tu une meilleure solution que d'essayer ?

— Pas vraiment !

— Go !

Pas à pas en direction de notre objectif immédiat, ralentis par le froid qui nous paralyse les mouvements et notre ambition du matin, nous avons entamé l'ultime montée.

Un pied devant, le sol s'affaisse sous notre poids, et nous glissons vers l'arrière

Trois pas devant, le sol se dérobe.

Deux pas derrière.

Ça ne prend pas le cours de math 536 pour comprendre que l'ascension se veut un véritable calvaire. Nous nous arrêtons souvent pour souffler et contempler l'étendue de ce que nous venons de parcourir.

Bientôt la moitié.

— Je suis vidé.

Cherchant un second souffle dans une réserve d'énergie qui n'existe pas, je confirme d'un hochement de tête que moi aussi.

Un pas, deux pas.

Pause. Frappés de plein fouet par la rafale islandaise.

Un pas, deux pas.

Pause.

Petit à petit, l'oiseau fait son nid, même dans ces conditions.

Je branche mon haut-parleur et sélectionne une énergisante ritournelle sur mon téléphone.

Eye of the Tiger de Survivor.

Un putain de coup de pied au cul.

L'adrénaline embarque. On se met presqu'à courir. Épuisés comme nous l'étions, courir n'était pas une option, à bien y penser !

Le sommet.

Lessivés, nous arrivons en nous effondrant au pied du mystérieux petit camp de base perché sur la paroi que nous venons de gravir.

— *Man*, wow. Les Français avaient raison. Ce fut tout un exploit que de simplement se rendre ici.

— Je ne comprends pas vraiment cet endroit, c'est le camp de base, et il n'y a rien, ni nourriture, ni âme qui vive.

La porte du petit chalet de bois est déverrouillée, et seuls quelques petits lits de camp remplissent l'espace.

— On dort ici ?

— Je ne sais pas encore, mais là, je sais ce qu'on va faire. Amène-toi dehors !

Dehors, c'est la définition même de la beauté.

Une petite table de pique-nique, deux chaises. Une vue à en faire jalouser Aphrodite.

L'Islande de Flóki. Dramatique et séduisante. Glaciale et chaleureuse.

Terre de conquérants vikings.

Il y a de ces moments qui vous soudent à l'instant précis, une braise de bonheur qui s'enflamme soudainement et vous flanque un frisson qui vous parcourt le corps et la mémoire.

Je sors la bouteille et déchire le petit papier métallique.

Je desserre lentement le bouchon de liège.

Comme un canon perçant le silence ambiant.

Au ralenti.

Résonne ainsi un POP à te déclencher une avalanche.

...

— Santé, mon *chum* ! C'est bien mérité.

— Probablement le pop le plus épique que j'ai jamais entendu.

Homérique et royal.

...

Le champagne monte à la tête, c'est bien connu.

Nous ne faisions pas exception à la règle et, presto, nous nous sommes délestés d'un pétillant surplus de poids.

— Comment tu te sens, haha ?

— Haha, pas pire pantoute !

— On fait quoi ?

18 h.

— J'sais pas, j'suis un peu *tipsy*, mais j'pense que j'ai retrouvé du « pep » !

— Hey, moi aussi !

— On l'essaie ?

— Þórsmörk ?

— Sûr !

— *Vamos* !

Ce soir, ce sera filet mignon et cabernet sauvignon, rien d'autre.

Naïfs.

Le dix-septième kilomètre nous salue froidement par l'intensité de sa brise glaciale et de son terrain accidenté.

La bonne nouvelle, nous nous trouvons maintenant au point le plus haut, et le reste du parcours se veut une courbe descendante jusque dans la vallée.

Nous gambadons comme des brebis ivres de bonheur et d'excès.

Nous filons à vive allure en tanguant légèrement.

Le manque de nourriture et d'eau, suivi de l'épuisement et de la consommation d'une bonne grosse bouteille de champagne, n'est peut-être pas le régime recommandé pour le randonneur régulier.

Ce n'est pas demain la veille que nous commencerons à suivre les recommandations.

Les recommandations, c'est comme les dépliants, c'est excellent pour partir des feux.

Rapidement, le temps se réchauffe, et le mal de tête nous assaille, mais nous sommes déterminés à fêter cette épopée et à nous rendre jusqu'au bout.

Arrivés sur un énorme plateau à l'herbe aussi verte que cette couleur peut se définir, nous croisons un second groupe de randonneurs.

— *How long until Þórsmörk ?*

— *Almost there ! Maybe two hours, be careful at the chains !*

Aux chaînes ?

Arrivés à l'endroit précis, nous avons compris. C'est une crevasse dans laquelle il faut descendre en s'agrippant à une longue chaîne vissée à même le mur rocheux.

Pas question de perdre pied, même si je réalise que je n'ai pas tout à fait dégrisé.

Saisissant la chaîne de ma main forte et mon courage dans l'autre, je m'engouffre dans la crevasse en ricanant de cette interminable journée.

Avec succès, Balboa fait pareil.

En nous retournant, nous scrutons l'horizon.

Une rivière, des arbres, des montagnes.

— C'est Þórsmörk, ça ?

— J'imagine...

— Je pensais que tu avais dit qu'il y aurait un restaurant, une piscine infinie, une villa, des Islandaises sur Tinder...

— J'ai imaginé qu'il y aurait tout ça.

— *Shit.*

La nature dans son plus simple appareil.

Affamés, nous avons parcouru les derniers kilomètres en riant nerveusement et en anticipant la suite des choses.

Sans le savoir, c'est dans cette vallée-là que nous allions goûter au moment le plus savoureux de notre journée.

Vidés de toute forme d'entrain, le ventre creux et les jambes tremblotantes, nous avons pénétré dans l'antre de Þórsmörk et de son petit terrain de camping.

— J'ai faim, j'ai soif, j'ai besoin de me doucher.

— As-tu de l'argent ? Je vais aller voir s'il n'y a pas de petit magasin pour nous ravitailler.

— Non, je pensais que tu en avais...

— *Shit.* Y'a clairement pas de guichet automatique ici, ni de petit magasin, d'ailleurs.

— Y'a *fuck all* ici.

— On fait quoi ?

— Je ne sais pas trop, honnêtement.

— Dire qu'on buvait du Veuve il y a quelques heures, et là, on se retrouve complètement paumés.

— Tout va toujours s'arranger, hein, Gui ?

Des rires retentissent d'entre les branches.

Une sympathique famille d'Islandais campe dans les environs.

Nous décidons d'aller à leur rencontre.

— *Excuse me*, hem, nous arrivons d'un long périple à partir de Skógar et, par manque de préparation, nous n'avons ni eau, ni nourriture, ni argent et sommes affamés et assoiffés.

— *Oh well, from Skógar ? In one day and with all this equipment ! Wow, you guys are vikings !* Venez, prenez place, nous avons hamburgers et bières pour vous, nous partagerons avec plaisir !

La chaleur des gens m'étonnera toujours. Elle a cette force caractéristique qui vaut bien tous les paysages du monde. Elle a cette saveur qui marque l'âme au fer rouge et qui laisse quelque chose de bien plus mémorable que n'importe quel « pop » de champagne résonnant contre les glaciers.

La bonté des gens, c'est ce qui définit réellement la beauté d'un pays.

— *Skóll !* Santé !

...

— Tu vois, Balboa, j'ai toujours dit qu'il ne faut pas trop se préparer, car tout finit toujours par s'arranger.

Finalement, ce ne fut ni du filet mignon ni du cabernet sauvignon.

Ce fut bien plus que ça.

# # #

On va où, maintenant?

Mercier, 1973.

Mon grand-père gronda ma mère d'un ton catégorique.

— Tu n'as que 18 ans, si tu pars en voyage, ne reviens plus jamais à la maison !

— Excellent, ce fut un plaisir ! *Arrivederci !*

Fonceuse, avant-gardiste et ayant travaillé tout l'été comme la fourmi, ma mère décida de poursuivre ses rêves de jeune femme et de débuter une série de longs périples qui allaient définir la personne qu'elle était. De l'Espagne jusqu'en Birmanie, elle ne reviendrait que lorsqu'elle serait prête.

Elle finit par revenir.

Habitée par l'idée de travailler si fort qu'elle pourrait repartir dès l'hiver suivant.

Tout dépend de l'inclinaison de la pente, bien entendu, mais la pomme ne tombe jamais bien loin de l'arbre.

La Prairie, 2006.

— Moi, m'man, j'aimerais bien partir au Pérou, cet été.

— Bien sûr, Guillaume, tu sais ce que tu dois faire pour y arriver. Travaille fort d'ici là, et tu seras en mesure de partir !

Cet été-là, à 18 ans, je fis mon premier vrai voyage en sac à dos.

Je revins conquis par l'idée qu'en travaillant extrêmement fort dans la jardinerie familiale, je posséderais les outils nécessaires pour repartir le plus rapidement possible.

Sans le savoir, j'entamais un intense mode de vie, et ce, pour la décennie qui suivrait.

Du courage qu'avait eu ma mère de partir découvrir le monde dans les années 70 à la quantité de travail qu'elle pouvait accomplir pour arriver à ses fins…

Ma mère était, et est encore, ma plus grande source d'inspiration.

Par la même occasion, j'établissais une règle qui définirait mon existence.

« *WORK HARD, PLAY HARD.* »

Et pour jouer fort, j'allais jouer fort.

La Prairie, 2017.

En ce doux matin de mai, j'ai les deux mains dans la terre et je laisse aller mon imagination à la création d'une inspirante création florale. Dans mon travail de concepteur, un pot à fleurs rempli à ras bord de terre se définit de la même façon qu'une toile blanche devant le peintre, qu'une page blanche devant l'écrivain. C'est le récepteur du créateur, c'est une manière de s'exprimer, de dire qui on est, une manière de raconter une histoire. Il ne reste qu'à l'habiller savamment de couleur, de structure, de texture, de contraste et de personnalité.

Un simple pot de terre.

Arrive madame Langevin, une habituée du magasin que j'aime bien. Nous avons toujours de bonnes discussions ensemble. Elle arrive à ma hauteur pour regarder son pot de fleurs que je suis en train de lui fleurir.

— Bonjour, Guillaume, comment vas-tu? Tu as l'air très concentré!

— Bon matin! En fait, oui, en plantant ce *Cyperus papyrus* dans le centre de votre pot, mon esprit a aussitôt vagabondé au Vietnam. J'y ai vu là-bas de magnifiques spécimens lors d'un récent voyage.

— Profite de voyager pendant que tu es jeune, c'est le temps de le faire maintenant...

— Pourquoi? Il se passe quoi, après?

— Après, tu auras des responsabilités, une maison, peut-être même une famille. Tu n'auras possiblement plus le temps de voyager.

Ces mots, tous les voyageurs ont dû y faire face un jour.

J'exprime mon désaccord à la dame. Comme s'il fallait vivre pleinement pendant une période de temps, être à l'ouvrage une majeure partie de notre vie pour ensuite éventuellement pouvoir en profiter. Aujourd'hui, nous avons le pouvoir d'inventer notre vie comme il nous plaît, la pression de nous conformer ne devrait plus prévaloir. Nous vivons maintenant, pas demain. Demain, je serai peut-être mort, mais aujourd'hui, je suis en vie et pas à peu près!

Et ce n'est pas une question d'âge. On entend souvent que les voyages forgent la jeunesse, mais c'est une erreur, ils forgent tout simplement la vie au grand complet. Voyager procure un bagage d'expérience qui ne s'apprend pas dans les meilleures écoles, et il n'y a pas d'âge pour développer sa soif de comprendre le monde. Le présent est grandiose pour les voyageurs de notre époque, et les possibilités sont infinies pour la personne qui voudra bien bâtir sa vie à parcourir la Terre.

Sur mon chemin, j'ai croisé des gens qui avaient pour bureau le désert, la jungle et l'océan. Des gens qui possédaient une demeure dans leur pays et qui la sous-louaient pendant leur périple pour en tirer un profit où pour payer l'hypothèque. Des familles qui avaient le sac à dos sur les épaules et leurs jeunes enfants devant en bandoulière. Je remarque que, pour les personnes qui adhèrent à cette façon de faire, eh bien, il n'y a pas d'excuse pour rester derrière, que des solutions pour partir devant.

— Plus facile à dire qu'à faire ! rétorque gentiment la dame.

— Ah, parfois il suffit d'essayer ! La personne qui essaie réussit souvent, celle qui n'essaie pas est assurée d'échouer. Comme dans n'importe quoi.

— Peut-être bien, Guillaume, mais tu dois admettre que les voyages coûtent cher, qu'ils sont une dépense.

En souriant, j'insère dans la terre un plant de Lantana colombien avec de magnifiques fleurs jaunes, juste à côté du *Cyperus papyrus* vietnamien.

— Au contraire, laissez-moi vous expliquer pourquoi je pense qu'ils sont un investissement. Lors de cavales autour du monde, nous développerons notre curiosité en découvrant des cultures qui nous sont inconnues, souvent avec comme résultat d'apprendre à connaître nos forces et nos faiblesses en vivant des moments improbables. Nous partirons avec un sac d'un certain poids sur l'épaule, mais reviendrons toujours avec un bagage qui ne se mesure pas. Le plus important, pour le vagabond qui voudra bien le comprendre, c'est le moment de prendre un certain recul par rapport à sa propre vie, où on en est et où on veut aller.

J'ai continué d'expliquer en plantant juste à côté du lantana colombien un *Lysimachia nummularia* originaire d'Europe, une sorte de plante retombante à écus vert lime que j'adore et qui illumine toutes créations.

— Pendant ces semaines et ces mois où je serai ailleurs que chez moi, j'aurai l'occasion de réaliser ce que j'aime de ma vie et ce que j'aime moins, ce que j'ai envie d'améliorer ou de perfectionner, le type de gens dont je veux m'entourer et ceux avec qui je veux prendre certaines distances. Tout ça pour une simple et même raison.

— Laquelle ?

— M'assurer d'être heureux.

En souriant, j'ai alors terminé la création florale en déposant délicatement dans la terre fraîche un *Scaevola aemula* bleuté, magnifique bouquet de tiges fleuries que j'appréciais pour la première fois lors d'un périple en Australie.

— Voilà! Comment trouvez-vous l'arrangement?

— Superbe!

— Mme Langevin?

— Oui, Guillaume?

— Pourquoi venez-vous me voir chaque année pour je fasse les créations de vos pots de fleurs?

— Ah, eh bien, c'est parce qu'au moment où je mets les pieds dans votre commerce, je me sens bien, ici, tout le monde sourit et a la bonne humeur contagieuse. Ta façon de créer, les plantes que tu utilises, les histoires que tu nous racontes! L'ambiance de l'endroit me fait décrocher, les statues de bouddha thaïlandaises, les Ganesh Indiens, ces sacs de Madagascar, ces poteries italiennes, cette abondance de fleurs du bout du monde. Venir te voir au marché, c'est un peu comme faire un voyage. Je t'ai recommandé à toute ma famille et à mes voisins qui sont venus à leur tour!

Elle a alors pris une pause songeuse et a ajouté :

— Je comprends maintenant, Guillaume, que cette entreprise est bâtie dans l'esprit même du voyage et que tes créations florales et la personne que tu es devenue sont directement liées à ton parcours sur la Terre. Voyager, c'est investir en soi, et peu importe le travail ou le mode de vie que nous choisissons, il n'y a pas de bons moments pour profiter, ce moment, c'est maintenant, et tout le temps.

J'ai souri.

— Des projets de voyage de prévus sous peu, Mme Langevin ?

— Maintenant que tu en parles, depuis des années je voudrais voir l'Europe avec mon mari.

— Vous devriez, car il faut que jeunesse se passe !

Avant de me remettre les mains dans la terre, nous avons échangé un éclat de rire complice qui voulait tout dire.

QUI EST AVEC MOI ? Amélie et Alexandra.

AMÉLIE : Alias Amé. Rencontrée le lendemain d'une solide cuite thaïlandaise sur l'île de Koh Phangan il y a plus de 10 ans, notre amour des fêtes nocturnes solidifia une amitié sans borne et au pourcentage d'intensité qualifié d'élevé. Amélie est une fonceuse, rieuse et généreuse, mais elle sait plus ou moins lire une carte géographique. **ALEXANDRA :** Alias Alexe. Amie d'Amélie qui deviendra aussi mon amie. Audacieuse gestionnaire des bouteilles d'eau, du temps et des distances. Alexe n'aime pas les gens qui ne partagent pas leur bouteille de vin. Tenez-vous-le pour dit.

HISTOIRE NAMIBIENNE
Les pieds sur Mars

1485, Portugal. En pleine période d'exploration
européenne, sous les ordres du roi João II et dans
l'impérial but d'établir de nouveaux territoires pour
la couronne portugaise, trois caravelles furent dirigées
d'une main de maître par Diego Cão. Les vaisseaux qui
prirent plein sud après avoir frôlé les îles Canaries
ne pouvaient imaginer le portrait qui les attendrait
en sillonnant le continent africain.

Longeant la côte, Cão est subjugué par ce qui s'offre à lui. Une flore luxuriante, des rivières majestueuses et une surprenante amabilité des tribus locales, un bon présage pour la suite de sa quête. Plus au sud, les choses tournent rapidement au cauchemar. L'équipage est accueilli par d'épais brouillards empêchant toute navigation. Une terre inhospitalière au littoral désertique, un royaume dénué d'eau claire et à la berge habitée par de terrifiants hauts-fonds marins. Une trappe mortelle pour tout navigateur. Où donc Cão avait-il abouti ? Il surnomma l'endroit « Les portes de l'enfer ». Il venait d'arriver en Namibie.

**15 novembre,
SWAKOPMUND
NAMIBIE**

L'avion s'approche du tarmac poussiéreux, le vol a été turbulent.

Nous venons de quitter la verdoyante et cosmopolite ville de Cape Town en Afrique du Sud en direction de la Namibie. Je repasse dans ma tête les souvenirs des dernières semaines. « Maudit qu'on a eu du fun ! » Ça faisait plusieurs années que je n'avais pas voyagé avec mon amie Amélie, rencontrée il y a presque 10 ans, un lendemain de brosse sur une petite île en Thaïlande. J'ai aussi fait la rencontre d'Alexandra, une amie d'Amélie et, comme on dit, plus on est de fous, plus on rit. On a fait quoi, en Afrique du Sud ? En gros, on a bu du vin, tellement que j'ai le corps acide. Acide à un point que je dois prendre des petites pilules basiques pour neutraliser le pH de mon corps. Qui aurait pensé que le sang du Christ me donnerait autant d'urticaire, sacré Jésus ? J'appréhende beaucoup ce périple namibien, j'ai comme l'impression que l'aventure nous attend et j'ai soif juste d'y penser !

L'avion touche le sol.

Je ne me trompais pas, la Namibie allait nous réserver plusieurs surprises.

Après avoir loué une petite voiture à l'aéroport de Windhoek, le plan est de se diriger vers la ville de Swakopmund, située à 352 kilomètres à l'ouest et en bordure de l'océan Atlantique. Sans réseau cellulaire, nous utilisons donc une petite carte papier pour nous orienter. J'aime les cartes en papier, je trouve que ça fait « *old school* », ça me rappelle mes premiers voyages.

J'appelle ça voyager de façon « analogique ».

On s'entend comme suit : je serai au volant de notre petit bolide argenté, Amélie sera copilote, et Alexe, préposée aux bouteilles d'eau. Une bonne chose, car j'aime conduire et je ne voulais absolument pas de la tâche de replier la carte géographique une fois cette dernière ouverte. Suivant les premières directives d'Amélie, nous quittons donc cette petite capitale peu peuplée en direction de l'ouest ! Le *Far West*. La première chose qui me frappe en conduisant, c'est qu'il n'y a aucune végétation apparente, que du sable et de la roche. L'air est sec et chaud, mais se respire aisément et avec rythme.

À mon grand étonnement, la route est dénuée de nids-de-poule, faute de ce type d'oiseau dans le décor, facilitant ainsi le confort de ce *roadtrip* épicé de musique dans le tapis et de karaoké improvisé.

« Amenez-moi au bout de la Terreeeee, amenez-moi au pays des merveilles… »

Arrivé rapidement au premier embranchement, je demande à Amélie si je dois suivre toutes les voitures qui s'élancent vers la droite ou bien si je dois emprunter le chemin désertique à gauche.

— Je tourne où, Amé ?

— Tourne à droite, euh non, à gauche, euh, je sais pas !

— Gauche ou droite ?

— À gauche, je pense…

— T'es certaine ?

— Mouais.

À gauche ce sera. J'ai toujours aimé tourner à gauche.

C'est étrange, car toutes les voitures filent tout bonnement vers la droite sur le chemin de bitume, nous, on fait les choses autrement en prenant le chemin qui en est dépourvu. Au début, ça va, le chemin est relativement tranquille, mais je me questionne sur l'absence totale de véhicules sur cette voie. De chaque côté, il y a des plaines désertiques rougeâtres et de squelettiques petits arbustes complètement desséchés par le soleil. Il fait chaud, très chaud, et le petit gravier de la route commence à prendre de l'assurance et à se transformer en pierres plus volumineuses. Soixante minutes plus tard, nous croisons le seul véhicule que nous allions voir pendant ce trajet, un 4x4 blindé pour faire du hors-piste. Un doute m'assaille, et je commence à douter des capacités de notre petite compacte pour faire face à ce genre de terrain. Les grosses pierres de la route font ensuite place à de remarquables crevasses, me forçant à conduire d'une lenteur éprouvante pour éviter de briser la réserve d'huile placée sous le véhicule. Je ne connais pratiquement rien en mécanique, mais je sais une chose, il ne faut jamais percer la réserve d'huile sous le véhicule, sinon on est foutu.

Je décide d'arrêter le véhicule.

— Amé, est-ce que je peux voir la carte, ça fait trois heures qu'on est partis, et je n'ai pas l'impression qu'on se rapproche de l'océan.

Je regarde minutieusement et je constate. Il y a effectivement deux chemins pour se rendre à Swakopmund, la droite du début, c'était l'autoroute, donc le chemin le plus rapide. La gauche, comme dirait ma mère, c'est un « charmant p'tit rang de campagne ». Le petit rang de campagne en question est défini de façon tellement anodine sur la carte que je dois me plisser les yeux pour voir le trait noir qui relie les deux villes.

— Amé, tu avais et raison et tort, ce chemin se rend théoriquement où on veut aller, mais le bon chemin, c'était l'autre !

Ce genre de situation me fait bien rire, on n'est assurément pas au bon endroit, mais c'est absolument excitant. Excitant, parce qu'Alexe, à l'arrière du véhicule, me fait signe qu'il ne reste qu'une bouteille d'eau, excitant, car on va probablement manquer d'essence bientôt, excitant, car il n'y a pas âmes qui vivent dans les alentours. Dans le fond, c'est exactement le genre de situation que j'adore ! Nous n'avons sans doute plus assez d'essence pour faire demi-tour, la seule option est de continuer et d'espérer. Je redémarre le véhicule en priant tous les saints des cieux pour qu'une station-service apparaisse sous peu. N'étant pas convaincus qu'il y ait un lien de cause à effet, nous ne prenons pas de risque et éteignons l'air conditionné pour nous assurer une économie d'essence maximale. Pas le choix, nous ouvrons donc les fenêtres, donc l'air est sec et brûlant, donc nous avons soif, donc l'eau diminue, donc il est temps que nous arrivions. Les heures passent lentement, nous avalons les kilomètres et de la poussière au passage. L'aiguille du tableau de bord m'annonce qu'elle vient de faire la rencontre avec le E du « *Empty* ». *Shit.* La luminosité commence à diminuer, et mon inquiétude commence légèrement à augmenter. En

procrastinateur professionnel dans la vie, manquer d'essence n'est pas chose nouvelle pour moi, par contre, normalement, je suis soit près de la civilisation, du quartier DIX30, ou bien il y a la CAA au bout du fil.

Là, le scénario est différent.

Dans mon for intérieur, je suis convaincu dur comme fer que nous tomberons en panne sous peu, et malgré la chaleur de la température ambiante, Alexe nous annonce froidement qu'il n'y a plus d'eau.

Bienvenue en Namibie.

La fin de la journée sera diamétralement différente de son début.

Tel un port pour le marin égaré, surgissant de nulle part dans cet océan de sable, une petite structure apparaît au loin.

— Ça se peut-tu que ça soit...

— Ben oui !

— Wow !

— Une station-service !

Je savais qu'on ne manquerait pas d'essence !

Il était minuit moins une.

En fait, il était 17 h 30.

Car je me souviendrai toujours de ce coucher de soleil.

On fait le plein d'essence, d'eau et d'optimisme. La route crevassée fait place à une route sablonneuse, le paysage de rocailles cède galamment sa place aux vallons de sable, nous entrons finalement dans le désert namibien. La scène est irréelle. La route se veut une ligne infinie qui va mourir minutieusement au loin vers l'horizon, bordée de chaque côté par d'immenses et romantiques vagues désertiques.

J'aime les déserts, ils sont apaisants.

Nous prenons le temps d'immobiliser le véhicule pour contempler l'intégralité de la scène. Le soleil fulminant de sa rouge furie épouse tranquillement le sable brûlant en s'y fondant tout doucement. Nous reprenons la route, sans mot, éblouis par toute l'élégance de la robe que dame Nature a daigné se draper pour nous.

Soudain, à notre droite, un nuage de poussière s'élève, brouillant nos sentiments et se rapprochant rapidement de nous.

— C'est quoi, là-bas ?

— Ça bouge, on dirait même que ça court !

Passant tout bonnement devant nous, une horde de zèbres sauvages traversent le chemin en trombe sans se soucier des droits de passage. J'ai juste le temps d'appliquer vigoureusement les freins !

Les vedettes du désert.

Les bêtes s'éloignent en galopant vers le soleil couchant et, comme au ralenti, ils deviennent vite des silhouettes, puis un excellent souvenir. Incroyable. La nature est splendide et étonnante.

— Si on avait pris l'autoroute, on n'aurait rien vu de tout ça. *Good call*, Amé.

Toujours une excellente idée de tourner à gauche.

Nous avons emmagasiné des visions fortuites et chaleureuses, et la plus grande aiguille de ma montre a parcouru 720 degrés supplémentaires. Tout juste quand la nuit se pointe le bout du nez, nous posons finalement le pied dans l'étrange enceinte de Swakopmund.

La nuit serait régénératrice, et cela tombait à pic, car le lendemain nous réserverait quelques découvertes inusitées.

Le lendemain matin, je ne peux que constater toute l'incongruité de la ville de Swakopmund. Nous ne sommes pas en Afrique, mais en Europe ! Étant jadis une colonie allemande, cette bourgade sur le bord de la mer a su conserver son architecture germanique et son âme européenne. Il n'est pas difficile d'y commander des shnitzels et d'y boire une bonne bière allemande sur ses terrasses. Une station balnéaire prisée par les Allemands et les Sud-Africains est située entre d'immenses dunes de sable qui viennent mourir dans l'océan. L'endroit est vraiment quelque chose. Après avoir fait l'ascension de ces célèbres collines sablonneuses, nous enfilons des « *sandboard* », un genre de planche à neige du désert, et dévalons la pente avec appétit. J'en profiterai pour me casser une côte par la même occasion.

— Es-tu correct, Gui ? Tu t'es planté solide !

— Mmuhmm (approbation d'un gars qui vient de se casser une côte).

Deux antidouleurs, et j'étais prêt pour la suite.

Non, finalement, je n'étais pas prêt.

# # #

Arrêt sur photo.

Inoubliables dunes.

— On s'en va où, aujourd'hui ?

— Si on veut se diriger vers le nord pour ensuite se rendre dans le parc national d'Etosha pour faire le safari, on va devoir traverser la « côte des Squelettes ».

— La côte des Squelettes ?

La côte des Squelettes est toute la zone côtière au nord de Swakopmund, jusqu'à la frontière de l'Angola. Passage obligé pour la suite de notre périple, cet endroit porte bien son nom. Les Bushman namibiens l'appellent « Le lieu que Dieu créa avec furie », et les premiers colons portugais, eux, l'ont appelé « Les portes de l'enfer ».

Inspirant, tout ça.

Un des endroits les plus inhospitaliers de la planète. Pourquoi la côte des Squelettes ? Nous n'allions pas tarder à le découvrir. En arrivant à l'entrée de la zone, j'arrête le véhicule devant deux imposantes portes en fer, qui arbore chacune deux immenses têtes de mort. De chaque côté de ces dernières, des os de baleines qui doivent bien faire deux fois ma grandeur. Avant de traverser de l'autre côté, nous devons nous enregistrer dans une petite halte en pierre.

— D'après moi, ils gardent un registre de toutes les personnes qui entrent pour savoir combien n'en ressortent pas en vie.

— Hey, ne dis pas ça !

Nous traversons les portes avec inquiétude en roulant sur le chemin de cailloux grisâtre. À perte de vue, le même gravier. Quelques kilomètres plus au nord, la mer apparaît à notre gauche, et en même temps, le premier vestige d'un navire échoué. Il fait gris et brumeux. Plus loin, la scène se répète, un deuxième navire abandonné. Rien d'encourageant, mais la situation est intrigante. Sur notre passage, nous apercevons quelques phoques se prélassant sur la plage ainsi que nombre de mines de diamants. Les seules personnes que nous croisons sont d'étranges vendeurs de pierres précieuses.

— *You buy this for your children !*

— Je n'ai pas d'enfants...

— *You buy this for your wives, there !*

— Je ne suis pas marié, ces femmes ne sont pas mes épouses...

— *Ooh, you must be sad and lonely.*

Je souris.

— Si tu savais...

On leur donne des biscuits et de l'eau, puis on reprend la route. C'est vraiment étrange. Cette zone s'appelle la côte des Squelettes, car jadis, il y avait de la chasse

Passage extrême et obligé !

à la baleine à cet endroit et il n'était pas rare de voir les corps échoués décomposés du mammifère marin. Maintenant, les restes d'origine animale ont fait place aux carcasses de bateaux prisonniers du sable et du temps. Ce territoire est défini comme hostile, car pendant des milliers de kilomètres carrés, il n'y a rien. Désolation. Pendant la colonisation européenne, les marins ont logiquement accosté plus au nord en Angola ou bien plus au sud dans la région fertile du Cap, en Afrique du Sud. Les courageux qui ont décidé de jeter l'ancre ici sont morts au bout de leur souffle en essayant de traverser le désert, ou bien ont dû repartir bredouilles, délestés de la moitié de leur vie. En roulant vers le nord, je me dis qu'il y a une certaine élégance émanant de cet endroit. La loi de la jungle. Les espèces endurcies survivent, et les plus faibles disparaissent. Nous tenterons forcément donc de faire partie de la première catégorie. Arrivant à la première « intersection », nous empruntons la droite vers le nord-est. Vers le désert. Amélie en est certaine, cette fois.

À un jet de pierre, d'immenses dunes apparaissent, nous accueillant majestueusement. Le plat chemin sur lequel nous étions se retire graduellement pour laisser place au sable et à sa douceur. Nous avons cinq bouteilles d'eau et beaucoup d'essence, tout va bien, presque trop. La topographie du terrain change brusquement et sans avertissement.

Nous prenons un instant pour analyser la situation. Nous arrivons dans un genre de canyon aux fulgurantes montagnes rouge feu.

Mars.

— On dirait une autre planète.

— Débile…

— Je comprends maintenant pourquoi jadis aucun explorateur ne ressortait d'ici vivant.

— Il reste pas mal d'eau ?

— Quatre bouteilles.

À cause des cailloux, la route devient périlleuse. Alexe estime qu'il nous reste environ 105 kilomètres à parcourir pour retrouver l'asphalte de la civilisation. Donc logiquement, environ deux à trois heures sur ce type de terrain. Étrangement, depuis notre sortie du désert, nous n'avons croisé que deux véhicules, de gargantuesques et onéreux 4x4. Nous sommes probablement bien naïfs de nous retrouver ici avec notre économique Toyota Corolla.

Le paysage donne soif, et en attendant le 5 à 7, une autre bouteille d'eau se vide rapidement de son contenu.

Zigzagant constamment comme un ivrogne en pleine possession de ses moyens, j'essaie tant bien que mal

d'éviter que la mauvaise pierre fasse connaissance avec la réserve d'huile sous le véhicule, je me répète en boucle la phrase suivante : « Il ne faut pas percer la réserve d'huile, sinon on est foutus. » Malgré la chaleur de ce paysage de catastrophe issu d'un autre monde, il y fait bon vivre. Conduisant depuis le petit matin, la fatigue commence à m'assaillir, mais l'adrénaline sécrétée dans mes veines résultant de cette conduite sportive me tient sur le qui-vive et à l'affût des moindres pierres et trous sur le chemin.

Amélie décide que c'est à son tour de conduire.

— Tu es certaine, Amé ? Je te le dis, c'est vraiment pas évident.

— Oui oui.

— Si tu insistes.

Peut-être pas le meilleur endroit pour commencer à conduire.

En voyage, nous formons une équipe, il est donc logique de se répartir les rôles, mais je ne peux m'empêcher d'être nerveux face à ce changement de situation ! Pas parce que c'est Amé, mais juste parce que ce type de conduite mérite une attention particulière et que j'avais acquis au fil des kilomètres une expérience précieuse pour éviter tout incident. Pour mettre les chances de notre côté.

— Amé, ne va pas si vite !

— Amé, contourne cette pierre !

— Amé, évite ce trou !

Je dois commencer à lui tomber sur les nerfs, mais c'est plus fort que moi, je veux absolument éviter le cataclysme.

Ce qui devait arriver arriva.

De loin, cette roche pointue orientée vers le ciel nous attendait à bras ouverts. La rencontre fut brève, mais d'une intensité remarquable.

BANG !

Pas le genre de « BANG » qui te fait dire « Ah, c'était pas si pire, ça va aller ».

Le genre de « BANG » que tu te dis « Arrête le char ».

Je ne connais rien en mécanique et je me répète encore qu'il ne faut jamais percer la réserve d'huile.

Coucher sur le dos, sous le véhicule, je constate toute l'étendue de cette phrase : il y a un trou de la grosseur d'un deux dollars dans cette fameuse réserve d'huile, et son précieux contenu se vide rapidement sur le sol.

— Vite ! Vite ! Est-ce qu'on a une serviette, du *tape*, n'importe quoi !

Gardant leur sang-froid, les filles essaient tant bien que mal de dénicher ce fameux « n'importe quoi ». Moi, j'ai le pouce dans le trou, mais comme dans une tarte aux pommes chaude, le réservoir est brûlant, et je n'ai pas le doigt à la bonne place.

Nous déchirons un bout de serviette en tentant tant bien que mal de colmater la brèche. Trop peu, trop tard. Sous le véhicule, le visage rempli de poussière, les mains tachées du liquide graisseux, je regarde les dernières gouttes d'huile finir leur périple sur le sable chaud. Me relevant en soupirant, nous échangeons un regard et constatons.

Nous sommes en plein canyon namibien à plus de 95 kilomètres de toute civilisation, et notre voiture est inutilisable.

Il reste deux bouteilles d'eau.

Dans une situation de crise, en voyage comme dans la vie, il y a deux façons de réagir. Opter pour la compulsive panique souvent suivie d'une amère colère ou bien afficher un sourire instantané permettant une rationnelle analyse de la situation. La deuxième façon est beaucoup plus performante, et le sourire fait du bien. En cœur, nous sourions et dépoussiérons l'éventail d'options.

Marcher les 95 kilomètres jusqu'à pouvoir demander de l'aide ou espérer croiser quelqu'un sur le chemin d'ici là. Cette option est écartée rapidement, car nous n'avons pas assez d'eau, donc elle est jugée trop risquée.

2) Conduire le véhicule le plus loin possible sans huile. Cette option est considérée, mais j'estime que le moteur brûlera après une dizaine de kilomètres,

S'improviser garagiste.

donc nous ne serions pas vraiment plus avancés. De plus, la facture oscillera probablement entre 10 000 $ et 15 000 $ pour effectuer les réparations par la suite. Si nous ne sommes pas morts séchés quelque part dans la brousse, bien entendu.

3) Attendre sagement et envisager qu'éventuellement, un véhicule croise notre chemin. Cette option est probablement la plus sécuritaire, mais les réserves d'eau diminuent, et je n'aime pas la passivité de cette possibilité. C'est une démocratie, et nous adoptons majoritairement cette dernière.

Ce n'est pas ma première fois dans ce genre de situation, et chaque fois, il se passe quelque chose d'inattendu. Nous miserons là-dessus, l'inattendu.

Avec le sourire, toujours.

Nous nous enfermons dans la voiture pour éviter de brûler au troisième degré et prenons le temps d'attendre. La dernière bouteille d'eau est entamée et rationnée, le temps passe ainsi que l'espoir de l'arrivée imminente d'un bon samaritain.

— On fait quoi ?

— Aucune idée.

— T'as essayé ton téléphone ?

— Pas de réseau.

— Misère.

— Au moins, il fait encore soleil.

— Et notre environnement est sublime.

— Vu de même.

Alourdis par de longues heures d'attente et habités par notre impuissance, nous constatons que l'inattendu s'invite finalement dans la danse.

Un vrombissement lointain.

Sortant lentement d'un nuage poussiéreux, un vieil autobus s'arrête à nos côtés en toussotant.

La porte s'ouvre.

— *You guys need any help ? A ride somewhere ?*

Dans ma tête, je rigole et je me dis que oui, nous avons besoin de 15 litres d'huile, d'un nouveau réservoir ainsi que d'un mécanicien, ici, maintenant, mais réalisant l'impossibilité de la chose, je me tourne vers les filles :

— On fait quoi ? Si on embarque avec lui, on retourne sur nos pas à Swakopmund à plus de six heures d'ici.

— On ne peut pas vraiment laisser l'auto comme ça.

— On peut, mais ce n'est vraiment pas l'idéal.

Le chauffeur s'impatiente et nous demande ce qu'il s'est passé.

— *We pierced the oil tank, it's now broken and empty. And we're almost out of water.*

— *Oh well, oh well ! I have an extra ten liters of oil and some water bottles here. Here y'a go !*

Se faire donner de l'huile quand on n'en a plus, c'est bien quand veut cuisiner ; par contre, quand notre réservoir est percé, ça ne sert pas à grand-chose.

Là, c'est le moment d'y aller « *all in* ». Soit nous embarquons dans l'autobus pour trouver une solution par la suite, soit nous prenons l'huile et espérons être capables de réparer la réserve. Convaincus d'être en mesure de nous tirer d'affaire comme des chefs, nous choisissons la deuxième option.

Naïfs.

L'autobus disparaît tranquillement entre les collines ainsi que toute l'aide que nous avions tant espérée. Tout en nous réhydratant goulûment physiquement et psychologiquement, le bricolage est promptement assemblé. Morceau de serviette de plage, de plastique et de *duct tape* sont adroitement posés sur le trou.

Ça va marcher.

Ça doit marcher.

Ouvrant le capot, je mets par la suite un peu d'huile dans le réservoir en espérant que notre précieux liquide décide d'y rester. Retournant sous le véhicule, je retiens mon souffle.

Ça tient !

Ne jamais crier victoire trop vite. Un bruit se fait rapidement entendre.

Glouglouglouglou (onomatopée signifiant que la réparation est un fiasco et que l'huile gicle partout avec grand débit).

Merde.

— On aurait peut-être mieux fait de prendre l'autobus.

Là, le second élément que nous n'attendions pas, le dernier véhicule que nous allions croiser de la journée. Un vieux *pick-up* qui s'amène à toute vitesse et qui ne semble pas vouloir s'arrêter. Nous lui faisons signe avec insistance en lui barrant littéralement la route. Le vieux camion s'immobilise brusquement, et la fenêtre s'ouvre.

— *Ya ?*

— *We need help, we pierced the oil tank and...*

Sans avoir eu le temps de finir ma phrase, il réplique :

— *I'm in a hurry, I can't help you more than that. Here !*

Il sort de son coffre à gants un petit tube jaune et un petit tube bleu.

— *What's that ?*

— Epoxy.

— Epoxy ?

— *Yeah, mix the paste of the two tubes together, it's like glue !*

— Oh !

Il redémarre rapidement et disparaît, lui aussi, derrière les collines ; l'espoir, lui, réapparaît. Les filles s'assurent du protocole à suivre en lisant les instructions derrière les tubes, et, moi, je nettoie parcimonieusement toutes impuretés à l'embouchure du trou du réservoir. En la modelant avec nos mains, nous mélangeons la pâte jaune du premier tube avec la pâte bleue du deuxième tube, en égale quantité. Une fois de couleur verte uniforme et de la grosseur d'une balle de golf, je me recouche rapidement sous le véhicule pour boucher la brèche avec notre improbable pâte à modeler. Nous avons environ de 5 à 10 minutes avant que cette dernière ne durcisse.

Une seule chance, un seul essai.

La pâte épouse parfaitement les formes du trou et de ses contours. Il ne reste qu'à attendre. Dans le meilleur scénario, la pâte durcira et scellera le trou de façon hermétique. Dans le pire... ah, je ne veux même pas considérer le pire. Cinq minutes passent, un vent chaud nous caresse le visage. Dix minutes, puis quinze. Le moment fatidique : je reverse de l'huile dans le réservoir et retourne sous le véhicule.

— Pis, pis ?

— ...

— Pis ?

Ça tient, et c'est solide.

Une maudite belle « *job* » !

Nous reprenons la route avec soulagement en ricanant. Je regarde les filles.

— J'ai l'impression qu'en voyage, c'est souvent comme ça, il y a toujours quelque chose d'inattendu qui se passe pour nous sortir du pétrin. Toujours. En plus, avez-vous remarqué où nous sommes tombés en panne ? Quel paysage !

— Gui, il y a deux voitures qui sont passées au cours des quatre dernières heures, la première avait de l'huile, la deuxième avait de l'époxy pour boucher le trou. Ce n'est pas de l'inattendu, c'est de la chance.

— Ce n'est pas de la chance...

— Ah non ?

— Ça doit être le karma.

Nous avons poursuivi notre route sans encombre en nous époumonant d'Aznavour et en rêvant de siroter notre prochaine bouteille de vin.

« Il me semble que la misère... serait moins pénible au soleil. »

Sacré Charles, tu avais bien raison.

# # #

La vie et la mort, dans un seul endroit. Irréel.

LE SYNDROME DE
LA PHOTO INSTAGRAM

En éternel positif que je suis, je me voyais mal aborder dans cet ouvrage des sujets de voyage qui ne s'avéreraient pas strictement… positifs. Un récent souper entre amis à Bali m'a convaincu de passer du temps à réfléchir à la nécessité de le faire.

Ce qui n'est pas une mince affaire. Car, voyez-vous, normalement, si le verre est à moitié plein, je le vois rempli au trois quarts, s'il est rempli au trois quarts, je le vois pratiquement déborder.

S'il y a de l'orage dans l'air, aucun problème, mon père m'a appris le truc du doigt mouillé pour analyser la direction du vent. Nous allons sans l'ombre d'un doute être épargnés, car la bourrasque souffle du sud-est. Rapidement, je réalise que je suis dans le champ avec mon doigt dans les airs, la rafale se moque de mon index et souffle finalement du sud-ouest, il se met alors à pleuvoir des clous. Comme ça tombe bien, j'ai un poncho mexicain à tester !

Une crevaison dans le désert ? L'endroit est mémorable pour installer une roue de secours.

Une intoxication alimentaire ? Au moins, il y a de l'eau chaude dans la salle de bain.

Je n'ai pas croisé Lesya à Odessa ? Aucun problème, ce n'est que partie remise !

Vous voyez le genre.

Dans toutes les situations, bonnes ou mauvaises, je pense qu'il est important d'en soutirer une étincelle de lumière. Le positivisme fait du bien, il nous donne les outils pour réaliser de grandes choses et nous permet de passer au travers des moments plus difficiles.

Être toujours négatif épuise, et les gens négatifs sont à éviter. Point.

Mais revenons au fameux souper à Bali.

Je discute avec Alex et MJ, deux voyageurs aguerris. Toujours « on the go », d'ailleurs.

— Vois-tu, Guillaume, les gens ne voient souvent que le côté de la médaille que nous voulons bien montrer sur les réseaux sociaux. Par exemple, nous arrivons devant cet endroit merveilleux avec une vue à en faire extérioriser les milliers de sabords du capitaine Haddock en personne, nous nous installons et prenons ce fameux cliché. Bien que ce moment est d'une authenticité et d'une véracité inouïes, nous ne montrons pas nécessairement tout l'envers du décor, le processus complet jusqu'à l'obtention de cette capture d'image. En voyage, ce n'est pas toujours de la tarte, il y a de l'attente, de l'incertitude, de la peur, parfois de la tristesse, de la colère, des accidents, de la maladie, et j'en passe. Même si les moments de joie et de beauté sont majoritaires et puissants, nous omettons parfois volontairement de partager l'entièreté de la chose pour la simple et bonne raison que cela n'est pas toujours beau à voir ou considéré de moindre importance.

Le syndrome de la photo Instagram.

— Hum, tu as peut-être raison, laisse-moi le temps d'y réfléchir.

Sur la route du retour, je mijote le tout en regardant les points de suture sur mon poignet. J'ai failli y passer hier, j'ai été vraiment chanceux. Un face à face en scooter à 70 km/h, où j'ai été éjecté dans un caniveau en ciment sur le côté de la route. Abasourdi par le choc, j'ai été ramené à l'ordre par l'eau visqueuse des égouts et par les détritus emportés par le courant. Wow, je ne suis pas mort. Seulement quelques égratignures et le dessus du poignet gauche légèrement tranché. Il y a ensuite eu beaucoup de douleur et une interminable attente à la clinique.

Les côtés positifs ? Un, je suis en vie et, à première vue, encore en bon état pour une couple de décennies, et deux, l'infirmière avait des yeux d'un vert si scintillant que, malgré la douleur, j'aurais sur le coup voulu apprendre la langue du pays. Dans tous les sens du terme.

J'en ai fait légèrement mention aux abonnés sur les réseaux sociaux, mais j'ai préféré mettre l'accent sur la magnifique montée du volcan que j'avais fait ce matin-là en partageant un sincère moment de qualité.

Sans le savoir, ce n'était que le début d'un profond examen de conscience sur le contenu que nous décidons de partager.

Une connaissance a émis un commentaire sur cette dernière photo :

« C'est un peu hypocrite de mentionner que Bali te comble de bonheur et que tu trouves cette île grandiose, il y a un océan de déchets qui s'accumulent au sud de l'île, et tu n'en parles même pas ! »

Après ces propos qui méritaient certainement réflexion, je suis retourné à la table à dessin et j'ai remis le collimateur en marche.

Lorsque je ne parle pas de ma blessure pour vanter les paysages de Bali, est-ce aussi de ma totale responsabilité de montrer les « blessures » des pays que je visite ? Est-ce un devoir en tant qu'ambassadeur du voyage de mettre en lumière tous les maux qui affligent le monde que nous avons décidé de visiter ?

J'en suis venu à la conclusion que non, mais...

Chaque voyageur que nous sommes a un devoir, un devoir de curiosité et de conscience sociale. Parce qu'en s'informant sur les divers accrocs dus au tourisme de masse et à certaines situations géopolitiques, il est possible de minimiser l'impact de notre présence, et en plus, nous pouvons faire certains gestes qui auront un impact positif sur la qualité de vie des gens avec qui nous partagerons de solides moments. Si une personne veut dénoncer une réalité qui fait mal et qui marque les esprits, elle a aussi le droit et une raison de le faire. Personnellement, je préfère souligner les splendeurs d'un pays en tenant pour acquis que les gens voyageront de façon lucide et informée.

Honnêtement, ça n'a pas toujours été le cas, mais il est maintenant primordial pour moi de voyager le plus intelligemment possible. J'essaie d'avoir les yeux et le cœur ouverts.

Histoire que mes petits-enfants puissent avoir autant de plaisir que j'en ai à sillonner le monde, tsé.

Je déduis donc que le syndrome de la photo Instagram n'est pas une modification de la réalité, mais bien un choix sélectif d'événements que nous prenons bonheur ou envie à partager.

Parce que je réalise qu'en voyage, je prends un malin plaisir à vous montrer mes mauvaises décisions, mes accidents de voiture, mon bateau qui coule, mon drone qui s'écrase, les fois où je m'égare dans la jungle et où je me fais piquer par d'étranges insectes. J'aime particulièrement naviguer au travers de ces obstacles, car ils peuvent devenir d'épatantes histoires.

À bien y penser, ces obstacles-là, j'en fais mention, presque fièrement.

Par contre, il y a sans doute certains aspects, plus personnels, que je trouve plus difficiles à expliquer, à exprimer. Peut-être le devrais-je.

Les moments où je me sens plus vulnérable.

Ah, ça non, par exemple. Ça, je n'en parle jamais.

C'est peut-être ça, l'autre pôle de la batterie, le côté négatif ?

Peut-être...

Car il est vrai qu'en voyage, ce n'est effectivement pas toujours rose, c'est la gamme des couleurs au grand complet. Il y a parfois des moments de grande solitude où on passe du temps à tout remettre en question, il y a des occasions où notre dernière once de patience s'évaporera et où les nerfs seront à fleur de peau. Assurément, la prise de mauvaises décisions fera découler des instants de peur, de tristesse et d'incertitude. Il y aura des jours où l'on se blessera physiquement et psychologiquement et en conservera des cicatrices permanentes.

Sans oublier les épisodes à quatre pattes au-dessus de la cuvette, terrassé par une violente intoxication alimentaire où l'on se sentira loin de chez soi, de son lit et de sa gastronomie.

Pourquoi? Car le voyage nous confronte souvent à nous-mêmes, à nos agissements et à nos propres démons. Il est aussi irréaliste et un peu naïf d'affirmer qu'il y a toujours du positif à ressortir de toutes les situations. Il y aura, par contre, toujours une prise de conscience qui nous donnera le pouvoir de décider de la suite.

À bien y penser, tous ces instants qui s'accumuleront lors du périple sont d'inégalables outils que nous nous offrons pour faire face à l'adversité de la vie que nous avons décidé de vivre.

Et ça, c'est très positif.

Voyez, même le verre à moitié vide est à moitié plein !

Si nous décidons de le voir ainsi.

HISTOIRE HAWAÏENNE (1)
Les marches vers le paradis

Île d'Oahu, Hawaï, 1942. En pleine situation de crise lors de la Deuxième Guerre mondiale débute la construction des installations top secrètes de la station de radio Ha'ikù, au sommet de la chaîne de montagnes Ko'olau. Une station de radio de basses fréquences ultra-puissantes pouvant communiquer avec les navires de la US NAVY au cœur de l'océan Pacifique. L'accès à cette mystérieuse base juchée dans les nuages sera possible en parcourant les 3 922 marches en bois, installées secrètement dans la jungle hawaïenne et suivant le parcours abrupt de la crête de la montagne.

QUI EST AVEC MOI ? Francis, Balboa, Phil et Ricko.

FRANCIS : Alias Le sec. Ami de longue date et impulsif troubadour au mental d'acier, Francis sera toujours le plus rationnel du groupe. Jusqu'à ce que l'impulsion prenne le dessus...
Aussi : **BALBOA, PHIL** et **RICKO,** qu'on a déjà rencontrés dans mes précédentes aventures.

Un escalier 100 % danger.

**26 juillet,
ÎLE D'OAHU,
HAWAÏ.**

2 h.

Nous sommes minutieusement préparés pour cette opération de nuit. Francis est au volant, je suis côté passager, et on retrouve à l'arrière Phil, Erick et Balboa. La «gang» du secondaire pour cette mission illégale et risquée. Nous avons tout calculé. Du trajet à parcourir jusqu'à l'endroit X, l'emplacement idéal où garer la voiture pour ne pas éveiller les soupçons ainsi qu'une quantité suffisante de provisions en cas de pépin. Nous avons beaucoup lu sur le sujet, nous savons ce que nous faisons.

C'est du moins ce que je croyais.

Deux heures de route après avoir quitté notre hôtel de Waikiki, nous arrivons dans la banlieue de Kaneohe, plus à l'est. Nous arrêtons le véhicule comme prévu dans une petite rue de travers du quartier résidentiel. La nuit est bien installée, et le seul bruit perceptible est le cillement des lampadaires. Nous quittons silencieusement le véhicule en prenant bien soin de ne pas claquer les portes et faisons quelques pas en direction de la clôture à l'orée de la forêt.

Une enseigne est accrochée sur le grillage métallique : « *FEDERAL TERRITORY, TRESPASSERS WILL BE PROSECUTED* ».

Nous chuchotons :

— C'est ici, il y a un trou dans la clôture.

— Il y a de l'eau plus bas ?

— Non, ça semble beau, GO !

Les consignes sont claires, aucune lampe-torche avant d'arriver dans les bois. Sans rien voir, nous nous laissons glisser sur les parois en béton de cet ancien canal asséché. Nous remontons le canal jusqu'à l'entrée de la forêt et, ensuite, nous nous engouffrons dans les abysses de cette jungle épaisse.

— On peut maintenant ouvrir nos lampes.

— C'est quoi, la prochaine étape ?

— Je pense qu'il faut marcher légèrement vers la gauche pendant une dizaine de minutes jusqu'à l'apparition d'un autre petit chemin.

À ce moment même, je me dis que jamais je ne ferais ce genre d'expédition seul. Personne ne parle, mais mon cœur bat tellement vite que tout le monde doit l'entendre. Je sais que même si chacun d'entre nous semble confiant, nous avons les nerfs à vif.

Nous avons la « chienne ».

Mais ensemble, on est plus forts. C'est ça, des chums.

Dans un dernier craquement de branches, nous débouchons au petit chemin asphalté espéré. La veille, nous avons scruté tout le Net à la recherche de la moindre information pertinente pour ce genre d'opération.

— Gauche ou droite ?

— Droite.

Il fait très noir.

Le sentier s'enfonce dans le néant vers la base de la montagne, et de chaque côté, le chemin est bordé par de sinistres arbres qui s'élancent vers les étoiles.

Après quelques minutes de marche en silence, deux lueurs apparaissent au loin, comme deux yeux de félin guettant sa proie. Nous nous arrêtons d'un coup sec, figés. Terrorisés.

— Il y a une voiture, et elle est en marche.

— J'ai lu que, depuis peu, il y a parfois un gardien de sécurité devant l'entrée.

— Merde, on fait quoi ?

Là surgit la seule notion d'économie dont je me souviens du secondaire.

Une notion que j'utilise tous les jours dans ma vie, mais surtout en voyage.

La notion de profit pur.

Ne pas passer... yeah right !

Ai-je plus à gagner en prenant telle décision, ou au contraire ai-je plus à perdre ?

Dans ce cas-ci, le tout se résume par une gestion de risques. Les risques potentiels liés à une arrestation sur un terrain fédéral par la police américaine sont élevés : jusqu'à 1 000 $ US d'amende et jusqu'à 10 mois d'emprisonnement. De l'autre côté, le gain potentiel tiré d'une excursion épique dont nous nous souviendrons pour le restant de nos vies.

Le choix est déjà fait, sinon nous ne serions pas ici.

Je crois beaucoup à la diplomatie dans ce genre de situation.

— Je vais aller parler au gardien de sécurité.

— T'es fou ! Oublie ça !

— J'y vais...

M'approchant tranquillement et en silence de la voiture, mon cœur virevolte, et l'adrénaline me donne du courage. Les gars à une dizaine de pieds à l'arrière sont prêts à déguerpir et n'attendent que mon signal.

Aucun mouvement dans le véhicule, mais j'aperçois quelqu'un.

Je m'approche au ralenti.

Tranquillement.

Les mains dans la fenêtre pour voir à l'intérieur, je constate.

C'est trop beau pour être vrai.

Le gardien dort !

Je me retourne en silence et fais signe aux gars de décamper vers la montagne.

Une dernière clôture à escalader, et nous y voilà.

Une enseigne y est accrochée : HAÏKU STAIRS.

Sur ma « *bucketlist* » depuis de nombreuses années.

Il est 3 h.

Nous trouvons les premières marches métallisées cachées dans la broussaille.

Dans les années 1980, les marches en bois de la Seconde Guerre mondiale furent changées par de petites plaquettes métalliques plus durables. Les marches sont étroites et humides, et une rambarde de chaque côté fait office de garde-fou.

— On surnomme réellement cet endroit « *Stairway to Heaven* » ?

— Oui, comme la chanson de Led Zeppelin.

— Ah, et pourquoi ?

— Primo, car c'est un des escaliers les plus dangereux au monde, secondo, car la vue au sommet est censée être spectaculaire, digne d'un hypothétique paradis...

Nous commençons notre ascension avec vigueur, marche par marche, soulagés qu'aucun bâton ne se soit retrouvé dans nos roues.

Jusqu'à maintenant.

Seuls les cinq faisceaux lumineux de nos lampes-torches déchirent la nuit.

Mais, au même moment à la base de la montagne, le garde se réveille et aperçoit les sillons lumineux.

Ça, nous ne pouvions l'imaginer.

L'inclinaison des marches devient dangereusement abrupte, presque une échelle.

Pas par pas, presque en grimpant, nous quittons la cime de la jungle pour nous retrouver sur l'arête de la montagne. Nous nous arrêtons souvent pour observer l'étendue de la vallée derrière, et seules la lune et sa réflexion céleste dans l'océan nous accompagnent. Je regarde à gauche, puis à droite de la rambarde chambranlante.

Précipices. De chaque côté.

— Ce n'est pas le temps de tomber, les *boys*.

Si l'un lâche prise ou perd pied, il entraînera les autres vers le bas par effet domino. Le bas, c'est la mort certaine, et mourir n'est pas dans mes plans aujourd'hui.

Du moins, pas avant d'avoir atteint le sommet. Sinon, à quoi bon ?

— Lâchez pas ! Il va sûrement y avoir un endroit plus plat bientôt.

Comme de fait, l'inclinaison diminue abruptement, et il est possible de souffler un peu. Nous parlons un peu, rions, savourons chaque instant de cette improbable expédition. Depuis le secondaire que nous faisons les 400 coups ensemble, et ce n'est pas près de se terminer. Autour de nous, l'image est éloquente. Nous pouvons maintenant distinguer, au loin, les petites lumières valsantes des maisons du quartier résidentiel où nous avons garé l'auto.

Si loin.

D'un coup de vent, en suivant notre étroit sentier métallique, le brouillard s'invite dans la partie, et le moment devient mystique. Une scène digne du film *Avatar*. Notre champ de vision se précise, seuls les pics de certaines montagnes percent les nuages, et nous avons l'impression de flotter sur des îles interstellaires. À certains endroits, une récente tempête a balayé le terrain et tordu l'ossature de notre chemin. Il faut donc user d'agilité et d'adresse pour continuer d'avancer.

Toujours sans tomber d'une des falaises.

À 4 h, le terrain s'élargit, et une construction de béton datant de la Deuxième Guerre apparaît sur notre gauche. Ébranlés, nous nous arrêtons net. À cette altitude, le vent impose le respect et fracasse violemment ses nuages sur les parois de la structure. Nous hésitons avant d'aller explorer. L'endroit semble lugubre et ne dit rien qui vaille. Graffitis et détritus tapissent l'espace.

— Est-ce qu'on est au sommet ? Je ne vois rien plus loin.

— Attends, je vais voir.

Le chemin continue.

L'épaisse brume qui nous entoure commence à blanchir, le jour se pointe. Nous emboîtons le pas en direction du sommet, nous voulons être au point le plus élevé pour le lever du jour dans la vallée. La phénoménale bourrasque nous fait vaciller et nous force à agripper fermement la rampe pour ne pas nous faire emporter. J'ose un regard à ma gauche : nuage. À ma droite, même chose. Je sais très bien, par contre, que sous ce volumineux manteau de cumulus, c'est le vide et la fin de mon histoire. Je m'agrippe encore plus fortement et je continue d'avancer.

5 h.

Le vent d'une puissance torrentielle fait frémir les marches ainsi que nos os. Nous cherchons notre respiration, le périple se veut plus ardu que prévu.

— Les *boys*, il vente en *tabarnouche*, nous devrions nous mettre à l'abri.

— Continuons !

Le sommet nous attendait drapé de ses cotons nuageux. Le spectacle est ahurissant. Une immense antenne radio figée dans la rouille et les années, surplombant

La force du groupe, gage de plaisir.

une petite installation de bloc de béton qui devait servir de base d'opérations lors de ses belles années. Nous nous précipitons à l'intérieur pour nous réchauffer, nous protéger des intempéries et reprendre nos esprits. Je réalise alors à quel point c'est important d'avoir de solides amis, des gens avec qui je me sens bien, avec qui je peux vivre ce genre de truc.

Des gens avec qui je cimente des souvenirs pour le restant de mes jours.

Malgré la rafale qui s'engouffre dans notre abri, nous rions.

Le temps passe, et il est bon.

La tempête semble perdre son souffle et sa hargne.

6 h.

Nous sortons pour constater.

Les nuages, tels des rideaux sur la scène d'un spectacle, se retirent lentement de chaque côté et nous laissent entrevoir un tableau des plus euphorisant.

Une empreinte dans l'imagination.

Nous sommes pratiquement au sommet de la chaîne de montagnes, et devant nous, une rayonnante vallée ceinturée de crêtes vertigineuses toutes plus abruptes les unes que les autres. Comme toile de fond, l'astre solaire naissant graduellement en plein cœur de l'océan, explosant l'horizon et émergeant d'un ciel bientôt topaze. Les premiers rayons nous fouettent le visage et viennent donner un éclat de feu à notre chemin métallisé qui s'étend devant nous.

3 922 marches de bonheur paradisiaque.

Nous restons muets et ébahis.

Une scène d'une telle ampleur restera forgée en moi, et dans un moment comme ça, c'est ça, et ce n'est rien d'autre. Nous savourons à pleins yeux et à court d'adjectifs assez forts.

— Fabuleux...

— Magistral...

— Fantastique...

— En plus, tout ça sans encombre !

Stairway to Heaven.

La descente est encore plus difficile que la montée. Nous sommes épuisés, et les marches sont mouillées de rosée matinale. Tout est résolument glissant, et nous avons les jambes chevrotantes. Revenir est souvent le moment le plus dangereux, car puisque nous sommes enclins à la fatigue, l'acuité de notre attention s'atténue drastiquement. Chuter ici pourrait être fatidique, mais cette option est balayée du revers de la main, car pas question de louper le déjeuner de l'hôtel.

Hell no !

En deux fois moins de temps que nous sommes montés, nous apercevons bientôt les premières marches du début. Retour à la case départ.

Tout juste alors que nous franchissons les dernières marches, un « HEY » retentissant nous glace le sang et nous fige sur place.

Le genre de « HEY » qui te pousse à penser : « Merde, je viens de me faire pogner. »

Une surprise de six pieds deux pouces nous attend justement en bas.

Comme toute bonne chose a une fin, la sieste du gardien de sécurité était terminée depuis quelque temps déjà.

Nous avions envisagé la chose et étions prêts à déguerpir en vitesse devant toute apparition humaine en position d'autorité.

Le garde de sécurité nous attend avec fermeté et toute la poigne américaine.

Pour le plan de déguerpir, on repassera. Nous avions peur qu'il soit armé.

— *You guys, come here !*

— Eh, merde...

À la queue leu leu et en silence, comme des élèves fautifs devant le directeur, nous nous arrêtons devant le patron de l'endroit.

— *You know what you just did was illegal, trespassing on a federal ground ?*

— Hum... Nous ne savions pas, désolés.

— *Identification, please !*

— Hum, cela ne sera pas possible...

Avant de partir, nous avions prévu de ne pas amener de cartes d'identité, juste au cas où une situation comme celle-ci se présenterait. Par contre, devant le fait accompli, nous ne savions pas si notre préparation allait peser lourd dans la balance.

Nous sommes terrorisés et réalisons l'ampleur de notre faute.

Jusqu'à 1 000 $ US d'amende par personne et jusqu'à 10 mois d'emprisonnement.

— *What ? You guys have no ID ?*

L'agent de sécurité nous tend un formulaire qui n'augure rien qui vaille et nous mentionne qu'il convoque illico sur place un agent de police :

NAME :
ADDRESS :
STATE/PROVINCE :
COUNTRY :

— Merde, merde, merde...

À ce moment, je me dis que nous devrions tous nous mettre à courir dans toutes les directions, et seulement un seul d'entre nous se ferait prendre... Évidemment, ça serait Phil, car c'est lui qui court le moins vite. En voyage comme à la maison, on ne peut pas laisser un soldat derrière. Cette avenue est rapidement écartée. Je commence à penser que cette journée pourrait prendre une tournure tragique. Allais-je croupir dans une prison américaine avec mes vieux chums du secondaire ?

En attendant la venue des forces coercitives, nous remplissons les papiers en silence tout en échangeant un regard malicieux entre nous. Ce fut le signal. Il est maintenant temps de réaliser notre recette de secours, soit un brin de stratégie, une pincée de supercherie et cuillerée de chance.

L'auto-patrouille arrive en empruntant l'identique chemin asphalté que nous avons brièvement utilisé ce matin même. La voiture s'immobilise, et un robuste bonhomme tout en uniforme en sort. Un vrai de vrai. Sans annoncer rien de bien prometteur, il saisit les papiers des mains du garde de sécurité et s'exclame d'un ton guttural et avec la tonalité du *mid-west* américain :

— Vous pourriez aller en prison pour ce que vous venez d'accomplir, je n'aurais qu'à divulguer vos noms et vos adresses à la cour, et vous vous retrouveriez devant le juge la semaine prochaine !

Nous restons sans mots devant cette charpente terrorisante, sans nous douter de ce qui allait suivre, mais en l'espérant.

— *OK, let's see…Who is… Paolo-Alejandro Gutierrez-Marquez ?*

Erick, d'origine péruvienne, s'avance naturellement et répond avec un joli mensonge.

— *Me, Sir !*

L'agent continue d'observer la fiche, non sans difficulté. Avec son fort accent américain, il tente de décoder le complexe charabia franco-québécois-hispanophone qu'Erick avait intelligemment pondu. J'ai étouffé mon rire en osant un regard furtif vers les autres gars qui, eux aussi, les épaules sautillantes, peinaient à ne pas exploser d'hilarité.

L'agent poursuit en répétant trois fois avec maladresse cette suite de mots :

— *Who is… Lionel-Junior Reginald-Poitras from Pointe-aux-Jésuites-des-Sœurs-Brunes-Immaculées-aux-Cœurs-de-Pierre ?*

Personne ne répond.

Le policier s'impatiente et répète avec empressement :

— *Who is… Lionel-Junior Reginald-Poitras ?*

Voyant bien que personne ne s'avance, Phil réalise qu'il a oublié la supercherie dont il venait d'accoucher et s'avance militairement en acquiesçant maladroitement.

Retenir ce rire a été la chose la plus difficile de la journée, j'étais sur le bord de la crise de larmes.

Les fous rires interdits sont assurément les meilleurs… Ce cirque ridicule continue jusqu'à la dernière personne ainsi qu'à la dernière information divulguée. Le policier semble étourdi par nos réponses compliquées. Devant l'ampleur de la paperasse qui l'attend, il nous annonce abruptement :

— *You guys have all weird names like that in Canada ? I never want to see you again here, I never want to hear from you again…Do you understand me ? LEAVE !*

La recette avait pris !

Sans dire un mot, nous reprenons le sentier de bitume jusqu'à la forêt, nous nous engouffrons dans les feuillages et, après avoir atteint une distance jugée sécuritaire…

Nous nous effondrons de rire.

— Oh mon Dieu, haha, impossible !

Arrivé à l'hôtel, je repense à ce que nous venons de vivre, à ma notion d'économie sur le profit pur et à la gestion des risques.

Les risques potentiels liés à une arrestation sur un terrain fédéral par la police américaine et de l'autre côté, le gain potentiel tiré d'une improbable excursion dont nous nous souviendrons pour le reste de nos vies.

Nous nous étions finalement délectés du combo.

Satisfait, j'engouffre alors mon épatant déjeuner avec appétit.

En prenant bien soin de faire un crochet de plus sur la longue liste de choses que je désire faire de ma vie et en pensant déjà au prochain plat dans lequel j'allais me mettre les pieds.

# # #

Ko'olau, la magnifique.

Le téléphone sonne.

10 h.

Je sors péniblement des limbes, et un mal de bloc m'assaille. J'ai certainement abusé du bon vin, hier.

Le téléphone sonne.

— Mmm, allô?

— Bonjour, nous avons consulté votre formulaire d'inscription pour l'émission *Allume-moi* sur les ondes de V et nous aimerions vous rencontrer.

— Mon formulaire d'inscription?

Les événements de la veille me reviennent vaguement à l'esprit, et je revois Stef qui remplit le formulaire sur Internet en me disant que je n'ai rien à perdre et que ça serait une belle expérience. J'acquiesçais nonchalamment en sachant très bien qu'il n'y aurait pas de suite.

Suite il y aurait.

N'ayant pas de téléviseur à la maison, je ne sais que peu de choses sur cette émission. Ce que je sais assurément, c'est que c'est un « *dating show* ». Je ne cours pas après l'amour, au contraire, mais j'aime bien me mettre au défi. Intrigué, je me rends à Montréal pour le rendez-vous avec la production. Le tout se déroule assez bien, et dans la semaine qui suit, un coup de téléphone m'annonce que je suis choisi pour faire partie de l'émission ! Pendant les semaines qui suivent, la production vient à ma rencontre pour tourner un petit topo, et par la suite, je n'y pense pratiquement plus. La veille du moment fatidique, je décide de « *googler* » le nom de l'émission pour en savoir un peu plus et je réalise l'ampleur de la situation dans laquelle j'ai décidé d'embarquer.

Je suis estomaqué par ce que je vois.

Sous un tonnerre d'applaudissements et illuminé d'une orgie de lasers bleutés, un gars sort d'une espèce d'ascenseur plein de fumée, il va saluer 15 filles à sa gauche et ensuite les 15 à sa droite. Au diapason, les filles accomplissent une discutable chorégraphie sur une mélodie plus que fromagée. Ensuite, si certaines filles ont peu d'intérêt pour ce qu'elles ont pu observer au premier coup d'œil, elles appuient sur un gros témoin lumineux situé sur un semblant de pupitre devant elles pour éteindre « leur » lumière. Cela veut dire qu'elles ne sont donc plus allumées.

Gros concept.

Le gars se présente ensuite en mentionnant son nom et sa ville de résidence. Les filles qui sont peu ou pas intéressées par cette complexe présentation appuient systématiquement leur bouton pour éteindre. S'ensuit un petit montage vidéo sur le gars, et même principe si les filles n'aiment pas...

Bang !

Un coup de poing sur le témoin, et elles se retirent volontairement de cette chasse romanesque. À la toute fin, s'il reste des demoiselles « allumées », ce sera au gars de prendre les commandes et d'aller éteindre les précieuses lumières directement dans leur face. Dans le stratégique but de conserver deux de ses coups de cœur.

Très scientifique, tout ça.

Le prétendant leur pose ensuite une question et, selon la réponse, il décide avec qui il finira l'aventure, tombera en amour et aura beaucoup d'enfants.

Théoriquement, bien entendu, c'est comme ça que ça se passe.

L'épisode que je regarde sur YouTube est traumatisant, il n'y a plus de filles allumées à la fin, et le gars s'en va piteux, l'égo détruit et la confiance dévastée...

Oubliant la joie inespérée d'avoir un jour des enfants.

« Merde, dans quoi je me suis embarqué ! »

Cette expérience allait être la première assise de mon projet :

Un jour, voyager sera mon métier.

Mais ça, j'étais loin de m'en douter, et avec raison.

Jour J.

Je n'ai pratiquement pas dormi de la nuit.

Je suis dans la loge avec l'animateur Philippe Bond, et nous buvons une bière tablette. On vient de m'annoncer que je serai le premier gars à passer devant les filles. De la chair à canon.

La panique me submerge, et j'ai les nerfs à fleurs de peau.

Cette journée-là, je dois bien être allé 18 fois aux toilettes.

— Guillaume. *Stand-by*, cinq minutes.

« Merde, merde, merde, pourquoi je m'inflige ça ! »

— Guillaume, deux minutes.

On m'amène par-derrière dans le soi-disant ascenseur et j'entends la centaine de personnes en délire de l'autre côté du rideau. Rien pour me donner du courage.

La technicienne me demande :

— Guillaume, ça va ?

— Non, vraiment pas, je veux mourir !

— Tu sais, la meilleure façon de passer adéquatement au travers, c'est de te visualiser en train de réussir.

— Facile à dire…

— Essaie-le !

Elle referme la porte arrière de l'ascenseur. Je suis prisonnier de l'espace, la fumée commence à monter à mes pieds. Je me dis alors que ce n'est qu'un jeu et que je ne réinvente pas la roue ! Je fais le vide, je me vois réussir.

À quoi, je ne sais pas, mais je vais réussir.

La fumée m'enveloppe au grand complet. Le temps s'arrête pour quelques secondes.

Entre les cris de la foule et la musique stridente, j'entends l'animateur qui hurle :

— Mystérieux célibataire, montre-toi !

La porte devant s'ouvre lentement, je sors des limbes, me ressaisis et, habité d'une audacieuse énergie, je survis.

Les mois passent, et un après-midi, mon téléphone sonne. Cette fois-ci, je suis en pleine forme.

— Guillaume ? C'est Guillaume !

— Ah, comment vas-tu, Guillaume ?

Mon interlocuteur s'appelle aussi Guillaume, vous l'aurez compris.

— Je travaille pour une compagnie de production télé. On a beaucoup aimé ton passage à *Allume-moi,* nous cherchons des célibataires pour un nouveau concept télé qui sera diffusé à Vrak. T'es encore célibataire ?

— Ouais, mais oublie ça, j'ai déjà donné dans ce genre de truc !

— Non non, attends, je t'explique le concept.

— Il y aura deux concepts, la première émission mettra en vedette trois demoiselles principales : trois filles célibataires, et cent gars qui défilent à tour de rôle devant elles. Les trois filles devront choisir trois coups de cœur chacune parmi les cent prétendants, pour ensuite trouver éventuellement l'amour avec un grand A.

— Hahaha, impossible! Tu veux que je sois un des cent gars?

— Non, moi j'aimerais que tu fasses partie de la deuxième mouture du concept, c'est-à-dire que tu serais un des trois gars célibataires principaux qui verraient défiler une à une cent demoiselles avides de trouver l'amour.

— Avec un grand A?

— Haha, certainement!

— Cent demoiselles célibataires?

— Oui...

Ma petite voix intérieure me dit d'y aller. Je ne sais pas pourquoi!

Et si, par hasard, je trouvais l'amour pour vrai?

Pendant le tournage, je n'ai pas trouvé l'âme sœur, mais j'ai eu beaucoup de plaisir et me suis fait de solides amis. J'ai beaucoup appris, et sans réellement le savoir, une nouvelle passion naissait. L'univers de la télévision.

En gravitant devant la caméra pendant plusieurs jours lors du tournage, j'ai observé attentivement le processus de création et de réalisation et je me suis dit qu'un jour, j'aurais ma propre émission.

Deux ans plus tard, je relevais ce défi, mais ça, impossible de le savoir encore.

L'été a passé, l'émission aussi.

Le 17 décembre, je suis avec mon ami Gab dans un *pick-up* chargé de plusieurs sapins de Noël que nous allons livrer chez des clients un peu partout à Montréal.

Mon téléphone sonne.

— Bonjour Guillaume, ici Jeff, un producteur télé de la même boîte que l'émission que tu viens de faire, nous aimerions te rencontrer.

— Ça me ferait plaisir, mais je ne vois pas quand, je pars en voyage dans 10 jours !

— Demain à 10 h, à nos bureaux.

— OK, je m'arrangerai !

Le lendemain, 10 h. Bureau de la boîte.

Devant moi, de l'autre côté de la table, Elie, directeur d'une agence de créateurs, et Jeff, producteur.

— Nous savons que tu travailles dans un commerce de fleurs pendant six mois l'été et que tu voyages une partie de l'hiver par la suite aux quatre coins du monde.

— Exact.

— Que penses-tu de devenir youtubeur ?

— Youtubeur ? Ça mange quoi en hiver ?

— Tu filmerais tes aventures, en ferais le montage et serais le gestionnaire sur les réseaux sociaux en partageant le tout aux gens. Nous t'aiderons tout au long du processus. Qui sait où tout ça peut t'amener ?

Pour un dinosaure de la technologie de la vieille école comme moi, c'était tout un nouveau défi.

J'aime les nouveaux défis.

— Comment pourrait-on appeler la chaîne YouTube et les diverses pages sur les réseaux sociaux ? Guillaume en voyage ? Guillaume et quatre points cardinaux ? Guillaume perd le nord ? En passant, quelle est ta prochaine destination ?

— Je n'ai jamais vraiment de destination. Je ne sais jamais réellement où je m'en vais, je ne suis pas décidé encore.

— Tu n'as pas de destination ?

— Non !

— Guillaume sans destination !

— J'aime ça !

Ce jour-là, ce fut le début d'une grande aventure.

Voyager allait devenir un métier.

La suite, je n'ai pu, je ne peux et je ne pourrai la prédire.

Mais elle s'annonce excitante !

MENOTTES ET
SCHNAPPS AUX PÊCHES

Fin des années 1800, Bangkok, Thaïlande. Sous
le règne du roi Rama V, Khao San Road , une avenue
d'environ 410 mètres fut érigée pour favoriser
le commerce florissant du riz. Pendant près de
100 ans, elle baignera dans une certaine quiétude,
jusqu'en 1982, où un groupe de voyageurs loua à
un vieux marchand de riz une chambre pour la nuit.
Celui-ci comprit rapidement l'opportunité d'affaires
qui s'offrait à lui. De fil en aiguille et de bouche
à oreille allait naître à cet endroit la Mecque
des voyageurs à sac à dos et par la même occasion,
un véritable chaos.

QUI EST AVEC MOI ? Chris, Stefan et Eden.

CHRIS : Alias Sads. J'ai rencontré cet Australien lors de mon premier périple en Asie du Sud-Est. À priori, je le détestais. Découlant du fait que c'était un mâle de plus à interagir auprès de MA gang d'amies. Après mûre réflexion, il n'était pas si pire que ça, et la suite des choses allait faire de lui un de mes meilleurs potes. **STEFAN :** Alias Stef. Meilleur ami de Chris, nous nous croisons pour la première fois dans un petit bar pas très loin de Khao San Road. Ma première impression ? Je ne comprends absolument rien de son anglais. Merde, le temps va être long. Maintenant, un excellent compagnon de brosse et équipier pour cette virée d'enfer. **EDEN :** Éternel coureur de jupons français, nous avons fait connaissance sur la petite île de Koh Tao en pleine quête de nouveaux jupons. Bouffon, charmeur et humoriste, Eden ne se fait pas prier pour faire le clown.

C'est l'heure de pimper mon tuktuk !

13 mars, BANGKOK, THAÏLANDE.

Certaines histoires ne se rendent pas aux oreilles de nos parents, nous décidons de les garder pour nous ou pour nos amis, le soir au souper en buvant du vin.

Et c'est bien ainsi.

Je ne serais pas complètement honnête avec vous si je faisais abstraction de ces histoires. Tous les voyageurs le savent, épicuriens que nous sommes, il nous arrive d'avoir certains écarts de conduite.

Un contexte particulier a fait que je me retrouve, encore une fois, dans une téléréalité. Cette fois, en Asie.

Une autre bonne idée de John.

Un rallye de 3 500 kilomètres à conduire des tuk-tuks normalement destinés à parcourir la simple distance couvrant le point A au point B.

Pas de A à Z.

Nous sommes 15 voyageurs de partout dans le monde, réunis dans l'optique de vivre une expérience unique. Traverser la Thaïlande, le Laos et le Cambodge à l'aide de nos piteux véhicules à trois roues. Il y a cinq tuk-tuks, trois personnes par équipe.

Le but ?

Survivre aux excès, aux dangers de la route, aux accidents et au caractère imprévisible de certains participants. Le dernier point étant probablement le plus dangereux. Pour couronner le tout, nous sommes commandités par Chang, l'une des plus grosses compagnies de cervoise locale en Asie, et avant de prendre la route, une surprise de taille et de quantité nous attendait.

C'était 4 000 canettes de bière Chang et 600 bouteilles de whisky thaïlandais. Un cocktail explosif pour 15 voyageurs dans la vingtaine, de quoi nous assurer de festives soirées et de solides lendemains de veille. Avant le départ, chacun notre tour, nous tentons d'apprendre à maîtriser les drôles de véhicules qui se conduisent avec le guidon d'une moto, mais avec le bras de vitesse et les pédales d'une voiture ! Ce qui ne sera pas de la tarte.

Chaque tuk-tuk est modifié et personnalisé à la couleur de l'équipe qui l'habitera pour les prochaines semaines. Ce qui me permettra de laisser aller mon côté artistique en peignant fièrement une grosse fleur de lys sur le devant.

Mes coéquipiers ? Stefan de Sydney et mon bon ami Phil, de Brossard-sur-Mer.

Québec represent.

La veille du départ allait nous donner une bonne idée de la suite des choses. Les tuk-tuks étaient surchargés, et il n'aurait pas été prudent de prendre la route ainsi.

Nous avons donc passé la soirée à prudemment délester nos véhicules d'un certain poids houblonné.

Comment ? En buvant un nombre de bières qui ne se compte pas sur les doigts de deux mains et en terminant la soirée sur la fameuse Khao San Road, une rue connue de tous pour son côté culturel et historique.

Je divague, c'est une débauche internationale.

Khao San Road est la définition même de tous les stéréotypes possibles concernant le voyageur à sac à dos en mode « party ». C'est du tourisme violent avec un je-ne-sais-quoi qui a fait naître en moi une certaine relation amour-haine envers ce bout d'asphalte. Il y a tout ici pour qui veut bien le voir et le goûter, scorpions et coquerelles frites à déguster seulement lors d'ivresse avancée, la tournée des bars, les kiosques à « *buckets* », The Club, la bouffe de rue, des musiciens *live*, du bruit, beaucoup de couleurs, des gens de partout qui crient, qui rient, qui puent et qui pleurent... Une intéressante équation.

Ah oui, aussi, certaines personnes munies de matraques... Mais ça, je ne le savais pas encore.

Pit stop à la bonne franquette !

Étant accompagnés de trois caméramans assoiffés de folies d'autrui, nous prenons donc place au plus bruyant bar de la rue, le Central Khao San Bar. Endroit qui a le mérite de rapidement te brocher un sourire au visage de par son énergie et ses girafes de bières, espèces de tours géantes équivalentes à de nombreux pichets. La soirée va bon train, et la cervoise coule à flots, jusqu'à ce qu'une participante allemande en panique arrive nous avertir qu'Eden, un des participants français, est dans le pétrin à l'arrière du bar. Il aurait apparemment été pris la main dans le sac par la propriétaire du bar à voler une bouteille de Schnapps aux pêches.

— Eh, merde. Quel imbécile.

Phil, Chris et moi nous rendons à l'arrière. Notre ami Eden est assis sur une chaise entouré de trois Thaïlandais bien en muscles, dont le propriétaire. Je m'avance prudemment en tentant de comprendre. Le propriétaire menace de porter des accusations.

Dans mon for intérieur, je rigole. « Eden, au moins, tu aurais pu voler autre chose que du Schnapps aux pêches, c'est pas buvable cette histoire-là. »

— *You're the owner right ?* Excusez mon ivrogne d'ami, ce qu'il vient de commettre est impardonnable. *But can we pay the bottle and even buy another one and everyone would be happy ?* S'il vous plaît, ne portez pas plainte, je vais le raisonner et lui parler dans le blanc des yeux. Il ne recommencera pas !

— *No ! I'm tired of this kind of behaviour, i want to see him in prison. I am waiting for the police !*

Je comprends logiquement son point de vue, mais nous devons trouver un terrain d'entente, et vite.

Pour Eden, la diplomatie n'existe pas, et finir dans une prison thaïlandaise n'est pas une option à considérer ce soir, le party va trop bien pour ça. Profitant d'un moment d'inattention du plus costaud devant lui, Eden bondit comme une gazelle en se faufilant de justesse entre deux des gaillards. Abasourdis, les trois Thaïlandais se retournent à la vitesse de l'éclair et se mettent en chasse pour rattraper leur proie. Nous détalons tout aussi rapidement en apercevant Eden courir dans la foule, suivi de très près par l'athlétique proprio qui tient une espèce de bâton télescopique dans sa main droite.

Probablement inspiré par Forrest Gump, Eden court comme s'il n'y avait pas de lendemain. Non loin derrière, les trois fous furieux armés de matraques ont probablement vu le même film et continuent leur énergétique poursuite. La foule curieuse se disperse rapidement, et dans un élan olympien, le propriétaire rattrape notre ami français et lui distribue un croc-en-jambe digne de ce nom. Eden est projeté violemment sur le bitume, et le sportif propriétaire lui assène alors deux ou trois bons coups de matraque dans les côtes. Pour lui remettre les idées à la bonne place. Évidemment.

Tout un spectacle.

Nous arrivons en trombe pour lui venir en aide, mais les deux autres protagonistes thaïlandais nous barrent la route en nous menaçant, eux aussi, de leur baguette magique. Nous reculons d'un pas en titubant pour éviter un éventuel « *Wingardium Leviosa* ».

— *It's okay, it's okay, we don't want anyone getting hurt, let's talk.*

Trop tard pour les paroles, le bruit perçant des sirènes de police vient s'inviter dans la partie chaotique d'où nous tentons de nous extraire. Quelques explications en thaï du proprio au policier, et c'en est fait de notre ami. Menottes aux poings, la larme à l'œil et la tête entre les jambes, il s'apprête à faire le pire « *walk of shame* » de sa vie, et devant des centaines de personnes. Escorté du policier qui disperse la foule devant, seul, notre ami n'en mène pas large, mais nous ne sommes pas près de l'abandonner ainsi ! Chris et moi suivons le ténébreux cortège jusqu'au poste de police où nous allons étrangement prendre place autour d'une table circulaire. Il y a l'imposant directeur du poste, le policier qui a mené l'arrestation, le sulfureux propriétaire, Eden, Chris et moi.

Le proprio fait diffuser sur son téléphone la séquence des caméras de sécurité du bar, et nous pouvons clairement constater le larcin de notre camarade. Il n'y a pas de doute, il a bel et bien eu un vol. En plus, le proprio fait venir la bouteille fraîchement débouchée comme preuve supplémentaire.

Le directeur du poste sort des papiers que le proprio remplira en relatant les faits, sa plainte et de quoi il accuse notre ami. Personne ne parle, l'atmosphère est à trancher au couteau. Le directeur prend la parole en nous expliquant la suite des choses.

— *As I can see, your friend stole a bottle, there are proofs to back it up. He will go in jail awaiting the next trial, you guys should contact your embassy and call a lawyer. If he's proved guilty, he could serve up to five years in jail.*

— Quoi ? *Five fuking years ?* Je comprends, monsieur l'agent, mais il doit certainement y avoir une façon pour l'empêcher de croupir en prison ? *There must be a WAY.*

Eden pleure à chaudes larmes.

Le directeur nous explique qu'il n'y a aucune façon de changer le cours des choses, à moins que...

À moins que le propriétaire retire sa plainte.

— *No, I won't !*

La bouche pâteuse, je renchéris maladroitement, en lui expliquant que j'ai aussi un commerce, que je réagirais de la même façon si quelqu'un me volait et que je fulmine juste à penser à pareil outrage. Par contre, il est à considérer que la vie d'une personne sera lourdement hypothéquée par un plausible séjour de cinq ans en prison. Je n'excuse pas le geste, je le condamne, mais je trouve les conséquences lourdes pour une erreur de parcours. Je connais bien Eden, c'est une excellente personne. Il est conscient de ses

Conduite épique dans Angkor Wat.

gestes et il le regrette sincèrement. Chris embarque à son tour dans la partie en apportant le poids de ses propres arguments.

Eden, livide, est trop secoué pour parler.

Le propriétaire hésite.

— *Look guys, I understand your point and I'm sure you understand mine. I think there's maybe a way for me to drop the charges.*

N'importe quoi. *Name it.*

— *I want 35 000 baths, in 30 minutes here in front of me.*

Mille dollars comptant en trente minutes ? Les policiers n'ont pas l'air de faire de plat de cette proposition saugrenue, ça doit être monnaie courante.

Mille dollars, trente minutes.

Nous sommes trop loin de l'hôtel pour retourner chercher nos cartes de débit, il nous faudra être proactifs et nous serrer les coudes.

— *Not one minute more, GO!*

Eden nous supplie d'y arriver.

— T'inquiète !

En sens inverse, nous gambadons comme des fauves dans cette savane de gens complètement ivres. Chris part d'un côté du bar, et moi de l'autre. À bout de souffle, j'aperçois Phil qui est en pleine entrevue avec les caméramans pour expliquer ce qu'il sait de la situation. J'interromps le tout brusquement.

— Phil, combien tu as dans tes poches ? Vite !

— Quoi ? Hum, 1 500 baths, l'équivalent de 43 $.

— OK, je les prends, merci !

Et je poursuis, en demandant l'aide de certains participants de l'émission et de l'équipe technique, je réussis à ramasser 260 $. Chris arrive en courant, lui en a 320. Une des participantes réalise qu'elle a sa carte de crédit sur elle, la seule du groupe, avec un retrait maximum de 250 $.

Un p'tit massage ?

830 $ et 22 minutes d'écoulées.

Merde. Où est John ?

— Où est John ?

— Il est en entrevue avec d'autres participants dans la ruelle !

En courant, je m'amène dans ladite ruelle.

— John ! John, as-tu ta carte ? De l'argent sur toi ? J'ai besoin de 6 000 baths pour sortir Eden de prison.

— *WHAT ?*

— Il reste cinq minutes, enwèye ! Je t'expliquerai plus tard !

Ça y est, le compte est bon ! Go go go ! Chris et moi repartons à toutes jambes vers le poste de police où nous espérons rapidement rapatrier notre ami.

— *Two minutes left ! Hurry up, Gui !*

Nous pénétrons dans le poste en sueur, haletants et avec fracas. En reprenant notre souffle, nous entrons dans la pièce arrière pour retrouver les trois hommes autour de la table ronde. Sous la lumière des néons, la scène est unique, Eden a les larmes séchées sur les joues et est muet comme une carpe asiatique, le directeur ricane avec l'autre policier, et le proprio regardant sa montre, semble surpris de nous revoir dans

les délais requis. Tout le monde est avide de connaître l'issue de notre improbable marathon.

Nous déposons le magot.

— *Here you go. 35 000 baths in 28 minutes. Keep the change.*

Le proprio compte billet par billet, et la quantité semble adéquate. Il dépose l'épaisse liasse dans sa poche arrière et marmonne quelques mots au directeur. Ce dernier prend la feuille de papier où est inscrite la plainte et la déchire d'un coup. Il se lève, se dirige vers Eden et lui enlève les menottes. En silence, soulagé, Eden verse une larme de joie et nous remercie d'un mouvement de tête.

Mais au moment où nous nous levons tranquillement pour quitter, le directeur nous fait signe de nous rassoir et de l'attendre.

Hésitant, je croise le regard de Chris et d'Eden. Que se passe-t-il ?

Le directeur revient avec cinq verres. Il prend la bouteille de Schnapps aux pêches au centre de la table et remplit tous les verres bien pleins.

— *Now that you paid, it is yours. I hope you guys like the Peach Schnapps, because this bottle is a 1000$ one.*

Un rallye complètement fou !

Sidérés, éberlués, en souriant, nous soulevons notre verre au contenu innommable et partageons ce moment inconcevable avec des gens improbables.

C'était bien la première fois que j'allais me saouler dans un poste de police à Bangkok !

— *Cheers !*

— ...

— Eden ?

— Oui.

— T'es vraiment un imbécile. À quoi tu pensais ?

— Désolé, je m'excuse, les gars.

— Non, non, pas ça.

— Quoi ?

— Du Schnapps aux pêches... *Come on !*

Le reste du rallye a été haut en couleur, les accidents spectaculaires et les arrestations nombreuses. Un des membres de l'équipe technique a perdu un bout d'oreille dans un accident et se l'est fait recoudre par la suite. Il est maintenant très à l'écoute de ses émotions. En plein milieu de la nuit, dans la campagne thaïlandaise, je me suis sectionné le bout de l'os de l'index droit, j'ai dû subir une chirurgie pour en reconstruire l'extrémité. Je fais maintenant attention où je mets les doigts. Pendant ces intenses semaines à bord de nos machines à trois roues, certaines amours naîtront, parfois le temps d'un plein d'essence, parfois le temps d'une crevaison. Des amitiés se souderont, d'autres s'éroderont. Inconsciemment sous la pression, certaines personnes ressortiront du lot, et d'autres s'effaceront. Cette épopée a été une véritable expérimentation sociale intrigante où les limites physiques et psychologiques étaient constamment repoussées et où chaque participant en a beaucoup appris sur les autres, mais encore plus sur lui-même.

J'ai appris aussi que de la bière pour déjeuner pendant trois semaines allait me faire regretter mes smoothies aux graines de chia et le saumon fumé de mes œufs bénédictine.

Nous avons aisément bu les 4 000 bières et les 600 bouteilles de whisky et en avons même manqué.

Mais, ça non plus, je ne l'ai pas dit à ma mère.

# # #

Les 14 survivants du rallye. We made it!

HISTOIRE INDIENNE
Un mort et un lampion

Entre le VIe et le Ve siècle avant J.-C., Sarnath, Inde.
À l'ombre d'un arbre de la place de gazelles, un homme
particulier dispense ses premiers enseignements.
Autrefois, cet homme était un prince. Aujourd'hui,
on l'appelle Bouddha. À une dizaine de kilomètres de là,
dans la sacro-sainte ville hindouiste de Bénarès
(aujourd'hui appelée Varanasi) sur les rives du fleuve
sacré, un homme hérite du même travail qu'avaient son
père et son grand-père avant lui. Il dépose un corps
inerte sur le bûcher et l'allume. Il sera maintenant,
lui aussi, le gardien de la flamme éternelle.
Il se retourne et regarde le Gange devant lui.

QUI EST AVEC MOI ? Je voyage en solo.

Un agneau en pause syndicale.

13 février, VARANASI, INDE.

Assis sur les marches menant au fleuve, je regarde cet homme qui regarde le Gange. Il fait probablement le même travail que son père et son grand-père avant lui. Mon arrivée dans cette mythique citée m'a plus que troublé. Quelques minutes auparavant, je déambulais nonchalamment dans les étroites rues de cette ville lorsqu'on me demande de libérer l'espace pour le convoi qui apparaît derrière moi. Quatre hommes portant un brancard sur lequel repose un corps drapé de tissus orangés et de colliers de fleurs.

Mon premier mort.

Bien que je ne distingue pas son visage, je me doute que cette personne vient de prendre un congé permanent et sans solde. Intrigué, je décide de suivre discrètement le fameux cortège qui se dirige vers le fleuve le plus sacré de l'Inde, le Gange. Nous passons sous une vieille structure de ciment et de bambou lorsqu'une odeur particulière me prend à la gorge. Une odeur que je ne connaissais pas, mais que je n'oublierai plus jamais.

L'odeur de la mort.

Ici, de nombreux cadavres attendent leur tour patiemment.

Mais attendent quoi ?

Selon la religion hindouiste, le processus de crémation du corps sur les berges du Gange est censé libérer l'âme du défunt dans l'atteinte du nirvana. Varanasi étant une des sept villes sacrées de l'hindouisme, brûler un corps sur un bûcher sur les rives de ce mystique fleuve se définit comme une consécration ultime.

Ici, la mort n'est pas signe de finalité, mais de nouveau commencement. Les abords du courant d'eau sont bordés de ghâts, une multitude de marches où l'on retrouve badauds, touristes et locaux s'adonnant à la prière, à la baignade et à certaines tâches quotidiennes. Le spectacle est ahurissant, et je décide de prendre place légèrement en retrait en suivant du regard les hommes qui déposent finalement leur contenu mortuaire. Le reste du travail sera l'affaire d'un groupe d'individus de la caste des intouchables. Bien qu'illégal depuis 1950, le système de caste est toujours bien ancré au pays, et les intouchables en sont les grands opprimés. Autrement dit, ils sont les gens qui ne font pas partie des quatre grandes classes traditionnelles de la société sacrée, regroupant entre autres les lettrés, les rois, les princes, les artisans, les agriculteurs et les serviteurs. Ils sont les laissés-pour-compte. Du moins, ici, à Varanasi, ces parias de la vie ont depuis la nuit des temps acquis un rôle estimé, dans le perpétuel métier de gardien de la flamme et de crémation des morts.

Le jeune homme qui regardait le Gange s'approche du corps inerte et, avec l'aide d'une autre personne, immerge la dépouille dans l'eau du fleuve et le place méticuleusement sur l'amoncellement de bois faisant face à la rive.

L'air est gris de cendres et lourd de fumée. C'est un autre monde. Je retiens mon souffle.

Après avoir enveloppé le macchabée d'un blanc linceul, le feu est mis au monticule. Lentement, les flammes se faufilent entre les bûches et viennent caresser la peau du défunt. La fine enveloppe brûle rapidement, et le corps se dénude. Médusé, je côtoie la mort et la croyance d'un processus de délivrance.

Le temps passe. La peau se cuivre, noircit puis se détache.

Agitée par la chaleur et la brutalité du feu, la cage thoracique s'ouvre, les côtes apparaissent, et certains fluides s'échappent.

Une pensée me traverse l'esprit. Là, je suis loin du boulevard Taschereau.

Ce corps qui autrefois était animé de la vie ne sera bientôt qu'un souvenir. Qu'a-t-il laissé derrière ? A-t-il laissé une trace positive de son existence aux gens qui se rappelleront sa présence ? Que ce soit sur un bûcher de Varanasi ou bien six pieds sous terre à Longueuil, nous y passerons tous. Je remets en question mon passage sur la Terre, qu'ai-je envie de laisser aux gens qui se souviendront de moi ?

Comment ai-je envie de la vivre, ma propre vie ?

Les heures passent, et le corps devient un amas de cendre, puis toute une mémoire.

Je retourne songeur, habité par l'image de la disparition d'un être humain.

Sans pouvoir le savoir, l'Inde me changerait et me bouleverserait plus que je ne l'avais jamais été.

Voyager au pays de Gandhi est une autre paire de manches. C'est laisser derrière ce que nous considérons comme normal et conventionnel, c'est une reprogrammation constante du cerveau. C'est une fusion des sens.

L'odeur, la vue, le toucher, l'ouïe et le goût.

Les cinq. Littéralement et viscéralement.

J'y serai pour les prochains mois, et ce, avec un très maigre budget. Je ne possède qu'une poignée de change. Mon premier voyage en solitaire. J'ai 21 ans et je réalise que j'amorce ce type de voyage par un gros morceau.

Les semaines qui suivent apportent de grands apprentissages, je vais découvrir les trajets d'autobus qui normalement doivent prendre cinq heures, mais qui en prennent douze, le tout avec un bébé dans les mains (qui n'est pas le mien). La joie de passer une trentaine d'heures dans un train, assis entre deux wagons à fumer des cigarettes indiennes. Faute d'argent, les endroits plus insolites et miséreux me font office de toits, ce qui m'amène à faire connaissance de la charmante présence de coquerelles, de rats et d'araignées de toutes sortes.

J'ai tant de fois dû prendre ma douche vêtu de mon accoutrement souillé sur le dos avec l'idée de le laver et d'économiser quelques roupies.

J'allais me retrouver dans le désert près de la frontière du Pakistan à courir après mon chameau qui tentait de s'évader sans me demander ce que j'en pensais.

Pour finalement le rattraper et dormir à la belle étoile à ses côtés réchauffé et réconcilié par la chaleur de son corps.

Par un bel après-midi, je me retrouverais encore une fois sur les berges du Gange, cette fois plus au nord, juste à la sortie de l'Himalaya.

Il fait drôlement bon vivre à Rishikesh, le temps rayonne le bonheur, et il est facile de l'absorber à grandes gorgées. Je ne sais pas réellement ce qui m'amène ici,

Cohabitation avec les animaux.

peut-être simplement l'envie, l'instinct ou le hasard. Aujourd'hui, en regardant le fleuve et les immortelles montagnes derrière, je réalise le pouvoir que procure le voyage en solitaire. Il permet de débroussailler chaque aspect de sa vie, comme si nous avions la capacité et le temps de régler chaque image, chaque parcelle qui habite notre être. Un par un, j'analyse les moindres recoins : amis, amours, famille, ce qui fonctionne et ce qui ne fonctionne pas. Sur-le-champ, je règle ce qui est possible de faire et je trouve la démarche à suivre pour corriger ce que je devrai ajuster à mon retour. Une fois satisfait de cette introspection, nous voyons plus clair, habités par une sérénité difficilement explicable.

Mon esprit s'envole et vagabonde dans ce paysage de carte postale.

Une petite fille me tire soudainement de mes rêveries.

— *Hi, Sir, would you like to buy this candle? 50 rupees.*

Un dollar.

Je distingue alors une grande chorégraphie de lumières flottantes sur le fleuve sacré. Certaines personnes allument un lampion qui est déposé dans un petit récipient de feuilles tressées, puis disposé tranquillement sur le fleuve. La personne qui réalise cette offrande peut faire un vœu en regardant le scintillement de la chandelle s'éloigner au loin par la force des choses et du courant. Le Gange est majestueusement illuminé de centaines de lanternes de feu.

— *50 rupees and you can make a wish.*

Étant sur un budget étroitement surveillé, je me refuse ce plaisir.

— *No, thank you.*

— *Are you sure, Sir?*

— *Yes, thank you.*

Je regarde cette fillette partir au loin sur le chemin, tentant difficilement de récolter quelques roupies en vendant ses petits lampions. Je l'observe.

« Quel idiot, j'aurais dû lui en acheter une. »

« En plus, j'aurais pu faire un vœu. »

Je me remets à réfléchir. Ce lampion aurait été une belle façon de couronner le moment de béatitude que je venais de m'offrir.

À ce jour, je ne peux expliquer ce qu'il s'est passé cet après-midi-là. Je l'ai pourtant vu partir si loin, mais d'un coup...

— *Sir, are you really sure that you don't want a candle?*

Estomaqué. La même petite fille. Elle devait être à l'autre bout de la ville il y a quelques secondes. J'ai dû perdre le fil du temps.

Dépôt des lampions dans le Gange.

Je bégaye.

— I...I...I would definitely buy your candle.

— OK, you light it and you put it in the river.

Descendant les quelques marches me séparant de l'eau, j'allume le petit lampion reposant dans le contenant de feuilles et, à voix haute, je formule ma demande en le déposant dans l'eau sacrée.

« Je souhaite mener une vie de bonheur et d'aventures pour éventuellement le faire avec une personne avec qui je pourrai partager tout cela. »

Tant qu'à avoir le génie devant moi, aussi bien demander le paquet !

Le petit bateau commence son sinueux parcours au gré des flots et du courant. Ne le quittant pas des yeux, il zigzague et s'installe maintenant au milieu du Gange en prenant de la vitesse et de la certitude. Voilà, que je me dis. Une vie à cent à l'heure. C'est ce que je désire !

Imaginez-vous que parmi les centaines de lampions qui défilent et finissent par disparaître, le mien a heurté brusquement une pierre en plein cœur du Gange et en est maintenant prisonnier ! Incapable de se libérer et de m'exaucer. Il ne coule pas, mais ça ne saura tarder. Comme si on me refusait mon désir.

« Merde ! Impossible ! »

La panique se diffuse en moi.

Mon vœu.

Aux grands maux les grands remèdes. Sachant qu'il me serait impardonnable de continuer mon périple et ma vie en sachant que je serai freiné de la sorte au premier obstacle, je décide d'agir.

Je retire mes souliers, remonte mes pantalons et m'enfonce dans le courant divin. Les touristes sont médusés et stupéfaits, les Indiens sont amusés, mais tout aussi consternés.

Ne quittant pas des yeux mon étincelle et mon but, j'avance difficilement, mais avec la seule optique de réussir. L'eau monte rapidement jusqu'à ma taille.

Je m'approche lentement tout en observant la valse de lumières qui me doublent de tous sens. Réalisant l'ampleur symbolique et le caractère inusité de cette situation, je souris et, dans un deuxième effort, j'attrape la suite des choses.

Le feu brûle toujours, et l'embarcation est solide.

Je libère alors ce souhait qui m'est si précieux.

Il voguera longuement jusqu'à complètement disparaître.

J'aime tirer des conclusions de ce que je vis, ça donne un sens à bien des choses.

Ce jour-là, j'allais en tirer quelques-unes.

Honnêtement, ce n'était qu'un lampion pris dans une roche.

Rien que ça.

Mais dans les temps plus difficiles de ma vie, je repense souvent à cette petite fille et à mon lampion prisonnier de cette roche...

Je réalise que la puissance de ce souvenir me sera toujours d'une aide précieuse pour m'aider à donner l'effort supplémentaire pour passer à travers.

Finalement, c'était sans contredit 50 roupies bien investies.

###

LA CHANCE D'AVOIR
DE LA CHANCE

Gagner à la loterie, une question de chance et de hasard. Pour moi, c'est la seule définition de la chance.

Du moins, c'est ce que je croyais avant de prendre le temps de houblonner certaines discussions et de cogiter réellement sur la façon dont nous parlons de la chance.

Car, voyez-vous, j'ai toujours eu une profonde aversion envers le fait de dire à quelqu'un qu'il est chanceux de vivre ce qu'il vit, de faire ce qu'il fait, de profiter du succès qu'il possède.

Toi, qui as voyagé et savouré les retombées qui en découlent, tu me comprendras. Chaque personne qui s'est un jour décidée à plonger dans l'inconnu ou à bâtir sa vie autour du monde s'est fait dire qu'elle était chanceuse de le faire.

Comme si c'était le fruit du hasard. Alors qu'il n'en est point.

Nous ne sommes pas chanceux d'aimer la vie que nous menons, nous sommes privilégiés.

Privilégiés oui, mais pas chanceux.

Personnellement, j'aime penser que devenir privilégié, c'est de jouir d'un avantage particulier résultant d'une succession de décisions, de choix et de sacrifices.

Nous en avons le contrôle.

Par contre, au fil du temps et de nombreux voyages, j'ai vécu certaines situations, j'ai réalisé certains faits, saisi l'état de la vie de certaines personnes, et mon courant de pensée sur le sujet a évolué et s'est précisé.

Nous pouvons nous définir chanceux.

Chanceux d'être nés au bon endroit, de ne pas avoir des bombes qui nous tombent sur la tête le matin en déjeunant, de pouvoir boire et manger à notre faim et sans nous poser trop de questions. Chanceux d'avoir le droit de pouvoir dire ce que l'on pense, d'avoir le droit de dire que nous ne sommes pas d'accord, d'avoir le droit du courage de nos ambitions et d'avoir le droit ainsi que la possibilité de changer une situation que nous voulons améliorer.

Nous sommes aussi chanceux d'être en santé et de pouvoir mettre les chances de notre côté pour le devenir.

J'ai toujours regardé d'un drôle d'air les gens qui souhaitent la santé à autrui, comme si c'était un droit acquis.

De récents événements dans ma vie m'ont fait réaliser la valeur de la santé et l'impact qu'elle a sur notre vie et sur celles des gens qui nous sont chers.

Nous sommes chanceux d'avoir des personnes dans nos existences qui nous aident à en saisir le sens et à l'apprécier à sa pleine valeur. D'avoir une famille qui nous soutiendra, qui nous inculquera que les seules limites qui existent sont celles que nous nous imposons nous-mêmes.

Nous sommes chanceux de pouvoir avoir l'occasion de rêver.

Nous sommes encore plus privilégiés de pouvoir créer les possibilités pour réaliser ces mêmes rêves.

Là où la chance se définit et s'explique vraiment et totalement, c'est dans le pouvoir de réaliser que nous en avons et d'ainsi pouvoir la partager avec ceux qui en ont moins que nous.

Finalement, la chance, ça existe, mais le privilège, ça se provoque.

QUI EST AVEC MOI ? Émilien, François, Fiasco.

ÉMILIEN : Alias Le chef. Émilien a la bonne humeur contagieuse et l'aventure facile. Dès notre première rencontre, il s'enquiert de la situation maritale de mon amie Lesya, oui oui, LA Lesya ! Au moins, il est chef cuisinier, atout que je juge utile dans une éventuelle exploration d'île déserte. Attendons de voir. **FRANÇOIS** : Alias Frank. Heureux boute-en-train et joueur d'harmonica hors pair. François est le meilleur ami d'Émilien. Nous avons fait connaissance à San Juan au nord des Philippines, et la chimie fut instantanée. Car lui ne s'est pas posé de question sur la situation maritale de mon amie Lesya. **FIASCO** : Heureux aventurier n'ayant pas la parole facile, Fiasco est le plus docile des voyageurs que j'ai rencontrés. Par contre, ce poulet trouvera toujours la bonne manière d'exprimer ses émotions. Parfois à mon grand désarroi.

HISTOIRE PHILIPPINE
L'île déserte et le poulet

14 décembre 1944, Puerto Princesa, Palawan,
Philippines. En pleine Seconde Guerre mondiale.
Un raid aérien américain se prépare au-dessus
de la capitale de l'île. La mission se précise : affaiblir
les troupes nippones installées à cet endroit avec pour
objectif de libérer des centaines d'alliés qui y sont
prisonniers de guerre. Les avions de chasse
approchent rapidement.

Au même moment, juste en dessous dans le
clan japonais, l'alarme d'une attaque aérienne
imminente fait rage. En panique,
les 150 prisonniers de guerre décident de se
protéger des bombardements en se terrant dans
une série de tranchées couvertes. Sous le
commandement du général Tomoyuki Yamashita,
les soldats japonais ont l'ordre d'éliminer
rapidement tous les prisonniers. Ils déversent
de l'essence dans les tranchées et y mettent
le feu. Les prisonniers qui ne sont pas brûlés vif
tentent de s'échapper en grimpant sur
les parois, ils sont automatiquement canardés
à la mitrailleuse. Le massacre de Palawan.
Quelques mois plus tard, les Américains
prennent le contrôle de l'île de Palawan.
Par contre, quelques poches de résistance de
l'armée japonaise subsistent un certain temps
en se cachant sur des îles désertes des environs.

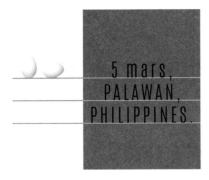

5 mars, PALAWAN, PHILIPPINES.

— Je peux pas croire qu'on va faire ça !

— Je sais, pour moi, c'est un rêve de jeunesse qui se réalise.

— Celle-là, les gars ?

— Elle a l'air bien, excellent.

— Penses-tu que quelqu'un a déjà mis les pieds ici ?

— Qui sait...

— *There, Sir! Here's half of the money, we will give you the other half when you come back in three days.*

— *Ya! Good things do come to those who wait!*

— Oui, mais *not more than three days!*

— *Ya ya!*

Les bras bien remplis de notre étrange fourbi, nous sautons à pieds joints dans l'eau peu profonde et nous dirigeons pas à pas vers la plage devant. Juste avant de fouler le sable sec de ce lieu magnifique, nous nous arrêtons pour nous imprégner du statut de notre prochain hôtel.

Salle de bain commune à aire ouverte, noix de coco à volonté, pas de wifi.

Une île déserte.

— Tu crois que ce vieux pêcheur comprend l'anglais et qu'il reviendra nous chercher dans trois jours ?

— Espérons-le.

— Comment va le poulet ?

— Fiasco semble bien aller.

Il faut dire que, depuis ce matin, un quatrième individu s'est ajouté à notre expédition. Un poulet vivant surnommé Fiasco.

Juste avant de partir pour cette épopée peu commune, nous avons fait le plein de provisions chez un petit marchand local. Deux glacières de styromousse, une petite pour un peu de nourriture et une grosse bien remplie de Red Horse, puissante bière locale.

Il faut savoir définir ses priorités.

— Pour ce soir, la glace dans les glacières conservera la viande, mais demain, on fait comment ?

— Bonne question.

— Savez-vous comment tuer un poulet, les gars ?

— *Hell no!*

L'idée est excellente. Un poulet vivant aujourd'hui deviendra notre repas demain soir.

En route chez le marchand de poulets !

— *We want a chicken, Sir.*

— *The breast or the wings?*

— *No, the entire chicken. Alive if possible.*

— *I was about to kill this one.*

— *No! We'll take it!*

Nous venions de nous faire un nouvel ami.

Le poulet allait avoir un sursis de 48 heures et vivre les heures les plus palpitantes de sa vie.

Sacré Fiasco.

C'est la première fois que je mets les pieds sur une île déserte, et j'en retire une étrange sensation d'euphorie. Depuis que je suis tout petit que je projette de passer quelques nuits à la Robinson, ici, maintenant, je ne rêve plus, je le vis réellement. J'ai longtemps tenté d'imaginer la sensation de se retrouver seul au monde, emprisonné par l'océan et à la merci de ma débrouillardise. Survivrais-je en solitaire sur une île déserte ? Là, je ne suis pas seul, nous sommes trois, mais le sentiment reste grisant. Bien que fraîchement rencontrés, mes coéquipiers sont de bonne compagnie, et la chimie a rapidement opéré. Ils ont embarqué sans questionnement supplémentaire dans cette proposition saugrenue, des vrais de vrais.

Ici, pas de wifi !

Après avoir déposé nos paquets à l'ombre des coco-tiers, nous décidons de faire le tour du propriétaire et le tour de l'île.

— On fait quoi de Fiasco ?

— Ah *shit*, c'est vrai…

— Attendez, j'ai de la ficelle, je vais lui attacher une patte et lui donner un peu de riz et de l'eau.

Fiasco se met alors le bec dans le buffet et se délecte de la fierté rattachée à son poste de poulet aventu-rier. Devant, il regarde l'océan aux mille reflets, satis-fait de la tournure des événements.

La surface qui émerge de l'océan doit faire deux kilo-mètres carrés, elle est ceinturée d'une bande de sable blanc sur sa majeure partie et de gros rochers sur l'autre, le centre de l'île est surplombé d'une petite colline d'une cinquantaine de mètres de haut, qui semble complète-ment recouverte d'une dense végétation. Un paradis.

Arrivés à l'extrémité nord de l'île, nous nous arrêtons soudainement, terrorisés par la vue qui vient s'offrir à nous.

— C'est quoi, ça ?

— Aucune idée, mais je ne ferai pas un pas de plus.

— Des dragons !

— Il doit y en avoir une trentaine.

À notre grande surprise, nous venions de faire con-naissance avec le célèbre *Varanus salvator*, un lézard géant ressemblant au dragon de Komodo et pouvant mesurer jusqu'à deux mètres de long !

Une parfaite compagnie pour pique-niquer sur une île déserte…

Avec un poulet.

En prenant bien soin d'éviter de tester la cérémonie de bienvenue reptilienne, nous grimpons jusqu'au point le plus haut de l'île pour avoir une vue d'ensemble des environs, et ainsi envisager un plan d'évacuation si l'anglais du pêcheur n'est finalement pas tout à fait à point. Le soleil est en feu et réfléchit violemment sa lumière entre les quelques îles dispersées tout au loin devant. À première vue, aucune chance de sortie par la voie maritime. Émilien se déplace entre l'épais feuillage et constate.

— Nous pouvons assurément nager jusqu'à cette île, elle est toute proche !

— De cette île, nous pourrions nager jusqu'à cette autre île, là-bas.

— Regardez sous le soleil à l'horizon, je crois distin-guer de minuscules bateaux. Il doit y avoir un village.

— C'est loin, mais nous pourrions nous y rendre.

Rassurés par ce plan B, mais inquiets de la présence de lézards géants, nous décidons de préparer nos complexes campements pour la nuit.

Trois hamacs.

À l'autre extrémité de la plage, nous dénichons une ancienne structure de bois chapeautée de quelques vieilles tôles rouillées, repère idéal pour installer nos lits aériens à l'abri des varans.

— Je me demande qui a bien pu construire ce petit abri.

— En tous les cas, c'est parfait s'il pleut !

Ne me demandez jamais s'il va pleuvoir. Peu importe le climat ou la température ambiante, en éternel optimiste, ma réponse sera toujours la même.

— Il ne pleuvra pas, oublie ça !

Ce soir-là, pendant la nuit, ma carrière de météorolo-giste prend le bord quand un violent orage éclate.

Par contre, la soirée est des plus merveilleuse, j'ai comme devoir d'allumer un feu et de le maintenir à intensité élevée ; Émilien, en parfait chef cuisinier, s'occupe des fourneaux (unique casserole) ; et François, lui, est préposé aux noix de coco.

Fiasco regarde la scène, sourire au bec, en gloussant de satisfaction.

Un souper presque parfait, unique et magistral, à l'ombre des étoiles et de nombreuses bouteilles vides de Red Horse.

Neuf sur dix pour le cachet exotique du décor.

Surplombé d'un filet antimoustiques et bien installé entre la structure de bois et un cocotier adjacent, mon hamac m'invite à y prendre place pour la nuit. Juste avant de trépasser dans les bras de Morphée, un petit caquètement attire mon attention.

Fiasco est ambitieux et rêve de grandeurs.

— Je vais allonger la corde à Fiasco, il pourra se promener, cette nuit.

— Il ne doit pas trop s'éloigner, j'ai lu que les varans pouvaient dévorer les poulets.

— T'es sérieux ?

— Non, mais j'imagine que c'est possible !

Sous le clapotement incessant de la pluie sur la tôle et ivre de bonheur, j'allais passer ma première nuit sur une île déserte.

Le lendemain matin, mon cadran de poulet me tire hors de mes rêveries. J'ouvre lentement les yeux en regardant juste à la gauche de mon hamac à travers mon filet antimoustiques, Fiasco est perché un peu plus haut et me regarde d'un drôle d'air. La soirée précédente avait évidemment été bien arrosée, le lendemain de veille nous souhaitait un bon matin à tous les quatre.

— Ma tête...

— Maudite Red Horse.

— Comment Fiasco a fait pour se rendre si haut ?

— C'est un ambitieux.

Comme pour acquiescer, en deux battements d'ailes, Fiasco se retourne sur sa branche, me fait dos et se met à faire un drôle de bruit. Bien installé dans mon hamac et intrigué de ce comportement, je ne quitte plus la bête des yeux.

Et ce qui arriva allait me faire changer d'opinion sur la personnalité de cet oiseau.

D'un seul coup, j'allais passer de fier à dégoûté.

Dans un roucoulement qui annonce une dilatation de certains sphincters, le poulet me déverse dessus une quantité abjecte d'immondices.

Une virulente diarrhée.

Les Philippines en pleine splendeur.

Le stress de l'aventure et le changement de diète n'a finalement pas fait à son frêle estomac. Prisonnier de mon filet et de mon hamac, je ne peux que constater l'étendue des dégâts. La partie solide des excréments est heureusement légèrement filtrée par le filet, mais l'entièreté de la partie liquide rafraîchit la totalité de mon corps.

Sur le coup, je conjugue tous les mots d'église en même temps !

Réveillés par le flot incessant de jurons que j'extériorise avec engouement, François et Émilien s'effondrent de rire, crampes au ventre et larmes aux yeux.

Je sors de mon hamac couvert de déjections animales et me dirige dans l'océan en vitesse.

Je jette un regard noir en direction de Fiasco, qui semble bien se marrer.

— Tu ne perds rien pour attendre, maudit poulet !

Tout un réveil.

J'entame la journée sur une drôle de note, mais la continue sur une tout autre mélodie. On fait quoi, sur une île déserte ? On prépare le prochain repas, c'est tout.

Après avoir décroché mon filet souillé pour le nettoyer dans l'eau de la mer, je réalise que celui-ci ferait un excellent piège à poissons. Je mets alors mon masque d'apnée et m'enfonce dans le paradisiaque monde aquatique qu'est celui des Philippines. Poissons de toutes sortes, récifs aux mille couleurs et aux formes extraordinaires. Sous l'eau, le temps se suspend et nous oblige à boire une tasse d'humilité. C'est un décor majestueux et fragile, nous avons comme devoir de le respecter pour pouvoir l'apprécier encore longtemps. Subjugué par tant de beauté et par la tendresse du silence océanique, il fait drôlement bon vivre en ces eaux. En égrainant un morceau de chair de coco, je suis d'un coup assailli par des centaines de poissons venant de tous horizons, une valse étourdissante et déroutante.

Mon piège se déploie comme prévu autour des poissons. Respirant un grand coup hors de l'eau et replongeant, j'accroche les deux coins inférieurs du filet entre les orteils de mon pied gauche, un autre coin dans la main gauche et la dernière extrémité dans ma main droite. Je rapproche lentement mes mains à mon pied, le piège se referme. Alertés par les parois mouvantes se rapprochant d'eux, la grande majorité des acteurs de cette impressionnante démonstration déguerpissent sans dire au revoir, mais un dernier étourdi fonce contre le mur devant lui.

Prisonnier de son destin, il est capturé.

— J'ai attrapé un poisson ! J'ai attrapé un poisson !

— Bravo, mais honnêtement, nous ne pourrions même pas faire un sushi de ta proie, il est minuscule !

— Dans les petits pots les meilleurs onguents !

J'admire le chétif, mais ô combien spectaculaire, poisson que je viens de capturer. D'un bleu éclatant tirant sur le mauve et strié d'un jaune vif. Une beauté de la nature. Au fond, nous avions assez de nourriture pour la journée et je voulais simplement me prouver que je serais en mesure de survivre sur une île déserte.

— Tiens, mon brave, va rejoindre tes compatriotes.

J'ai relâché le poisson avec le sentiment du devoir accompli.

Un autre devoir nous attendait, et ce ne serait pas une mince affaire.

Il nous fallait tuer Fiasco.

— Les gars, on a tout bu hier, il n'y a plus de Red Horse pour ce soir !

— Merde.

— Gui, pars un feu et assure-toi qu'il y a beaucoup de braises, François et moi allons nager vers l'autre île là-bas et tenter de nous rendre à l'hypothétique village que nous croyons avoir aperçu hier.

— C'est en Chine, votre affaire, vous ne pourrez jamais revenir avant la tombée de la nuit.

— On gage ?

— Haha, non non, je suis partant pour quelques cervoises, je m'occupe de faire le feu et de préparer psychologiquement Fiasco pour la suite.

Je regarde mes deux nouveaux amis s'enfoncer dans l'océan, rapidement atteindre la berge de l'autre île et disparaître dans l'antre de sa jungle. En jetant un regard autour de moi, je constate que je suis bel et bien seul sur mon île. Une drôle de sensation m'envahit, comme un vertige.

Un rêve de ti-cul.

Seul au monde.

Le moment est trop beau pour vivre de rancune et d'amertume, je pardonne le comportement préjudiciable à Fiasco, le prends dans mes bras, et nous savourons l'incongruité de cet instant précis.

Tom Hanks avait Wilson, son ballon de volleyball.

J'avais Fiasco, le poulet.

Les heures passaient, le feu a pris de l'ampleur à mesure que je sentais le bonheur grandir en moi.

Le bonheur, ça se sent, ça se vit.

Comme un frisson qui te parcourt l'échine et qui te confirme que la vie est mauditement belle à vivre.

À savourer sous toutes ses formes et à boire au goulot.

J'emmagasinai à tout jamais la photo de cet après-midi-là.

Bien assis avec mon poulet et compagnon, en remuant l'ardente braise du feu, j'aperçois une motion lointaine, un petit point noir suivant parfaitement la réflexion du soleil dans l'océan. La vue est aveuglante, mais je distingue que la chose se rapproche avec une vitesse constante.

Un bruit de moteur.

Et des cris de joie.

Les gars.

Armés de deux lourdes boîtes.

Le petit bateau arrive en vrombissant et se stationne lentement sur le sable de notre plage.

— Pis ?

— On a fait le plein ! Il n'y avait qu'un petit magasin vendant seulement de la bière et du papier de toilette. Il nous a fallu traverser deux rivières à la nage et embarquer avec un local sur sa moto pour nous y rendre.

— Vous êtes des machines.

— As-tu tué le poulet ?

— T'es fou, on vient de partager un moment de bonheur sincère ensemble.

— Go, c'est maintenant que ça se passe.

Le feu est en feu, la bière froide fait ce qu'elle doit faire, le coucher de soleil est beau à en rendre jaloux le lever avant lui, l'extase est de bonne compagnie, mais le temps est venu de passer de la parole aux actes.

Nous avons excessivement chaud et, drapés de nos simples maillots de bain, nous nous préparons à dire un dernier au revoir à qui de droit.

— Comment on fait ?

— Le gars du magasin m'a dit de lui tenir les ailes et de lui asséner un solide coup de bâton ou de pierre sur la tête.

Pour plusieurs personnes de mon entourage, chasser ou tuer pour manger est quelque chose d'anodin, mais pour quelqu'un qui n'a jamais fait chose pareille, ce n'est pas une mince affaire.

Les ailes bien tendues, il nous faut maintenant donner le coup de grâce.

Silencieux, la sueur nous perle sur le front, et la nervosité est palpable.

— Vas-y.

Juste au moment où le coup fatidique allait être porté, de drôles de bruits nous proviennent de la mer.

« Clik-clik-clik. »

Trop concentrés, nous ne l'avions pas entendue venir, mais une petite embarcation débordante de touristes asiatiques vient de s'immobiliser à notre hauteur. Stupéfaits du spectacle, les touristes dégainent leurs appareils photos et prennent un nombre de clichés à en remplir une carte mémoire dans la minute.

Amusé, je m'imagine le guide à bord.

« À votre gauche, au loin là-bas, un petit village de pêcheurs locaux, à votre droite, une petite île déserte autrefois possiblement le refuge de soldats japonais et... et... trois naufragés en bedaine et en sous-vêtements, tenant un poulet dans leurs mains pendant qu'un des leurs s'apprête à donner un ultime coup pour l'achever. »

L'occasion est unique. L'action est effectuée avec vigueur et précision.

PAF !

Les pieds bien ancrés dans le sable de notre île déserte, le jambon doré par les rayons venus d'en haut, soulagés par le bonheur que peut procurer pareille situation, nous trinquons en l'honneur de Fiasco qui a prolongé sa vie en la parfumant d'aventure et d'exotisme.

Réalisant un rêve de jeunesse en me retrouvant seul sur une île, en me gavant de ses uniques émotions et en partageant cette joie avec mes nouveaux amis que ce voyage avait bien voulu mettre sur mon chemin.

Je venais de faire d'une pierre deux coups.

Ou, comme le dirait le bon vieux pêcheur en anglais, « *killing two birds with one stone* ».

# # #

Le retour de notre lift.

Vu du ciel, le pays aux 7 000 joyaux.

HOMMAGE AUX TRÔNES, LE DUEL.

Toilettes, WC, cabinet, petit coin ou binoche.

Un jargon s'expliquant par la région et le type de système.

Il y a les toilettes à bidet, turques, sèches, chimiques, à jet et les latrines.

Il y a les trous, les naturelles, les propres et les impropres.

Les « je vais lire les nouvelles », les « je vais faire ça vite » et les « je vais me retenir ».

Et il y a aussi les toilettes d'Osheaga. Ça, je n'en parlerai même pas.

Souvent, quand j'ouvre la porte des toilettes (s'il y a une porte), c'est le moment qui me rappelle que je suis manifestement en voyage.

— Oh là là.

Je prends souvent des photos de toilettes et de salles de bain que je trouve cocasses, elles me divertissent et me font sourire ou blasphémer.

Comme ma première toilette turque, quelque part dans les montagnes asiatiques.

J'ouvre la petite porte en bois et je m'arrête, stupéfait. « Merde. »

Je devais déjà avoir vu ça à la télé ou dans une revue, mais je ne possédais assurément pas le mode d'emploi. La toilette turque n'a pas de cuvette, c'est un trou à ras le sol, un genre de dalle de céramique ou de bois percée d'un orifice voué à l'évacuation. Pour y mettre les pieds, il y a parfois de petits monticules antidérapants de chaque côté du trou. Rien de bien compliqué, mais quand même pas si simple pour quelqu'un qui n'a jamais pris le temps de se commettre à pareil ouvrage.

J'hésite longuement, je ne suis pas en confiance. Ça se sent, ces choses-là.

Je regarde le trou qui me regarde à son tour.

Je veux sortir, l'atmosphère est lourde. Je ne céderai pas.

Pas question qu'il ait raison de moi.

Je regarde à nouveau le trou qui me jette un regard noir.

Je ressens la peur et certains effluves.

Je me lance, il me reçoit.

Je baisse mes pantalons et fléchis les genoux.

Il n'y a pas beaucoup de marge de manœuvre.

Dans un cas comme celui-là, c'est crucial, la marge de manœuvre.

Tout est une question d'inclinaison et de posture.

L'eau perle sur tout mon corps, impossible de m'abandonner. C'est trop intense, trop difficile. Mes jambes sont molles et tremblent comme le pont Champlain. Ça n'augure pas bien.

Par peur de manquer le trou et d'alourdir d'un poids jugé non nécessaire, mon surplus de tissu au niveau des chevilles, je décide de changer de tenue et de retirer mes bottes et tout le bagage vestimentaire situé au-dessous de la ceinture.

J'ai trop chaud, je retire aussi le haut.

Les mains bien accotées sur les parois qui m'étouffent, je suis prêt.

Nu comme un ver, deux coquerelles et un lézard viennent m'encourager dans mes difficiles démarches.

Pour couronner cet apogée de profonde gloire, je jette un œil à gauche et à droite.

Panique. Pas de papier.

C'est alors que je fais la connaissance d'un fameux petit tuyau et de la violence de son jet.

Si vous l'avez déjà utilisé, vous vous rappelez certainement votre première fois. Sinon, je vous laisse faire vos propres expérimentations, et vous comprendrez toute la vulnérabilité du moment que j'ai pu vivre.

C'est beau, les voyages !

HISTOIRE HAWAÏENNE (2)
Le chef et le requin-tigre

Il y a quelques années, Kauaï, Hawaï. Une légère pluie perla sur le front d'un homme. Un avertissement. L'homme n'y fit pas de cas et enfonça son pied dans la rivière pour entamer sa lente traversée. Le courant était puissant... et brusquement, sans avertissement, une crue subite venant des montagnes emporta tout sur son passage. L'homme devint alors une entaille de plus sur une vieille enseigne en bois.

QUI EST AVEC MOI ? Francis, Ricko, Balboa et Phil.

L'éternelle brigade.

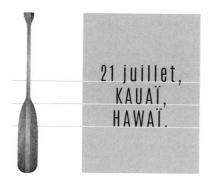

21 juillet,
KAUAÏ,
HAWAÏ.

Je regarde une vieille enseigne en bois.

107 entailles dans le bois inscrites à la Robinson Crusoé.

107 morts.

J'enfonce mon pied dans la rivière en commençant sa lente traversée. La pluie a bien tombé il y a quelques jours, mais le débit de la rivière semble adéquat et suffisamment sécuritaire pour tenter de la franchir. De toute façon, nous sommes venus ici avec une seule idée en tête, faire cette excursion qui se veut une des plus épiques et dangereuses au monde. Dangereuse à cause de la force du courant que peuvent avoir subitement ses rivières à cause de l'accumulation d'eau se déversant des montagnes. Dangereuse en raison de l'étroitesse d'un certain passage et de la possibilité de se faire assommer par des pierres qui ont décidé de tester la loi de la gravité.

La Kalalau Trail.

Ce matin, avant de commencer l'expédition, le gérant de l'hôtel se marre bien en entendant notre conversation.

— Faire la Kalalau Trail sur son entièreté et revenir ici, ce soir? Vous rêvez en couleur. J'offre une tournée de *shooters* si vous réussissez.

— Tu mises ton argent contre les mauvais chevaux!

La Kalalau Trail, c'est 18 kilomètres de vertigineuses pentes ascendantes et descendantes ceinturés de majestueux voisins, d'imposantes montagnes verdoyantes et de l'intimidant océan Pacifique. Sans planification sérieuse, la seule chose que nous savons est que le randonneur moyen nécessitera de 6 à 10 heures pour parcourir son intégralité, avec l'objectif obligatoire de passer la nuit en campant sur la jolie petite plage à la fin du parcours.

Je n'aime pas ce qui est obligatoire. La vie est trop courte pour que l'on soit obligé.

Aveuglés par un surplus de confiance, nous établissons le plan de sillonner la totalité de l'excursion en accomplissant un aller-retour. Trente-six kilomètres de marche en montagne. Pour arriver à nos fins, nous allons donc miser sur l'inattendu en espérant que les éléments soient de notre côté.

— Francis, penses-tu vraiment que nous pouvons être assez rapides pour parcourir les 18 kilomètres de l'allée et les 18 kilomètres du retour en une seule journée?

— Au rythme où l'on va en ce moment, nous y parviendrons!

— Phil, toi? Tu penses être capable de maintenir la vitesse?

— Ouais. De toute façon, nous n'avons pas vraiment le choix.

Nous ne pouvons effectivement considérer passer la nuit à son extrémité, car bien qu'alourdis par l'équipement de notre sac à dos pour ce type d'excursion, nous ne possédons ni nourriture, ni tente pour dormir et pas plus de permis nécessaire pour camper à cet endroit.

Parcourir les 36 kilomètres de l'aller-retour est la seule option. Point à la ligne.

Ce qui sera, en temps et lieu, un problème.

Notre environnement est spectaculaire, littéralement.

La formation montagneuse à notre gauche est ahurissante, son manteau n'est pas lisse, mais drapé d'ondulations me rappelant l'effet produit par une pierre lancée dans l'eau. Le vert de la végétation est vif et se démarque des quelques blancs nuages reposant sur ses crêtes montagneuses. Le reste du portrait est d'un bleu céruléen, le ciel comme la mer.

À 14 h, cette journée-là, la beauté de la vue et de la vie s'accordent en parfaite harmonie.

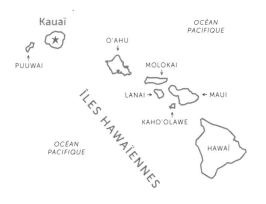

Il n'y a que Phil qui détonne par la couleur rougeâtre de son teint.

Erick s'en interroge.

— Phil, nous n'avons parcouru que la moitié de l'aller, penses-tu vraiment pouvoir effectuer l'entièreté de la randonnée ? Il reste 27 kilomètres !

— Mmm... oui.

Au onzième kilomètre, nous renchérissons.

Nous devrions peut-être considérer faire demi-tour, nous n'avons plus beaucoup d'eau ni aucune nourriture.

En chœur, nous déblatérons sur la possibilité et l'impossibilité de terminer ce que nous avons entamé.

Phil est clair, il veut et va terminer. Du moins l'aller.

— Les gars, je vais être en mesure de parcourir les neuf kilomètres restants jusqu'à la plage, mais pour refaire le même chemin en sens inverse, je n'en suis pas convaincu.

À cet instant précis, un randonneur montréalais venant à contre-courant vient pimenter notre discussion.

— Vous êtes Québécois, les gars ? Haha, super ! Vous voulez vous rendre jusqu'à la plage et retourner à votre point de départ ? Impossible !

— Faute de préparatifs, nous n'avons malheureusement pas de nourriture ni l'équipement nécessaire pour camper...

— Vous devriez rebrousser chemin, les gars, le plus difficile est à venir ! À moins que...

— À moins que quoi ?

— J'ai entendu dire que la communauté de hippies vivant un peu en retrait de la plage possède une embarcation et qu'ils ont la possibilité de monnayer le transport du retour par la voie maritime.

Génial, voilà qui règle tout et cimente notre désir de continuer.

— Mais vous allez probablement arriver trop tard, les vagues seront trop puissantes, et ils pourraient refuser de prendre la mer.

Avec mes quatre « chums » du secondaire, nous allions décider de tester notre chance.

Nous reprenons la sinueuse route de terre. Bientôt, la luxuriante flore cède sa place à un gigantesque plateau sablonneux et à une vision merveilleuse, mais aussi peu réconfortante de la suite. Nous nous assouvissons d'un grand bol d'air en contemplant le fameux passage que nous devons franchir. L'aiguille de ma montre file de seconde en seconde et ne nous donne aucun répit.

Je commence à réfléchir à l'adage suivant : l'ambition fait périr son maître.

Au yâble les adages !

L'ambition nous fait vivre de grandes choses, tout simplement.

Nous rions de la situation, mais le temps presse. Nos jambes s'alourdissent, et à première vue, les vagues prennent de la vigueur. Pas le temps de souffler, nous devons longer l'ultime col avec rapidité. Le prochain passage est célèbre pour l'étroitesse de son accueil et son avarice en deuxième chance.

Ici, le vent souffle d'une vigueur qui nous rappelle que cet endroit ne nous fera pas de cadeau. Personne ne parle, la concentration est de mise. Nous apprendrons par la suite qu'à ce lieu précis, plusieurs personnes sont décédées en y perdant pied ou bien le crâne fracassé par une pierre de l'au-delà. Le passage doit n'avoir qu'une trentaine de centimètres de large, c'est très peu en sachant que, 15 mètres plus bas, c'est un rendez-vous avec la tendresse de la mer et la dureté de ses rochers. Je m'agglutine au

Tout ce qui monte redescend.

mur derrière moi en me déplaçant latéralement à pas de crabe, j'incline la tête vers l'océan devant, le vertige me prend et m'étourdit.

— Ne regardez pas en bas !

Tranquillement, pas à pas.

Le passage s'élargit, et un chemin plus large me fait signe de le suivre.

M'agrippant au premier arbre venu, j'ose un regard vers les gars, qui, à la file indienne, franchissent le col meurtrier avec brio et souplesse.

— Pis Phil, ça a bien été ?

— *Man*, j'ai les jambes en jello !

Heureux de reporter notre date d'expiration à plus tard, nous parcourons la distance nécessaire et posons finalement le pied sur la douceur du sable de la plage que nous espérions tant atteindre.

Sans pouvoir envisager que l'aventure ne fait que commencer.

Nous déambulons quelques minutes sur cette étendue sablonneuse tout en prenant un court répit bien mérité dans l'eau de sa caverne. Partant ensuite à la recherche de la personne qui pourra nous venir en aide, nous croisons quelques voyageurs bien préparés qui installent leur tente à l'ombre de la paroi rocheuse tout en se délectant de leur copieux repas et du confort de leur planification.

Nous, le ventre vide et sans connaître l'issue de cette journée, devons trouver un bateau, et vite.

Nous distinguons rapidement une motomarine bien enlisée dans le sable, et loin devant, Erick nous annonce apercevoir un canot pneumatique ancré au large. C'est de bon augure, et nous jubilons à l'idée d'avoir la possibilité de pouvoir rentrer chez nous. Un homme pouvant s'apparenter à la définition de « hippie » s'attarde tout près de la motomarine, et je décide d'aller m'enquérir de ses services.

— *Hi Sir, excuse me, do you know anything about the possibility to rent a boat to go back at the very beginning of the Kalalau Trail ?*

— *Right now ?*

— *Yes, right now.*

— *Impossible, look at the ocean, the waves are way too strong.*

— *We can't stay here, we are willing to pay.*

Après une longue hésitation, cet heureux va-nu-pieds m'indique qu'il me faudra aller personnellement rencontrer « *The Chief* ».

— *The Chief ?*

Le Chef, c'est le PDG d'un groupe d'individus qui ont décidé de vivre sur la colline surplombant cette plage, en marge de la société et de ses codes conventionnels.

Phil, le persévérant bon dernier.

En gros, des hippies vivant d'amour, d'eau fraîche et de substances psychotropes popularisées dans les années 70.

Rejoignant Erick, Phil, Francis et Balboa, je leur annonce la nouvelle et ajoute qu'en solo, je devrai aller à la rencontre du « Chief » pour négocier et organiser notre départ.

— Combien d'argent avons-nous ?

Phil, Erick, Francis et moi avons l'équivalent d'une centaine de dollars américains.

Balboa, lui, a 400 $ US.

— Qu'est-ce que tu fous avec 400 piastres dans tes poches en *trekking* ?

— Je prévois.

Les poches alourdies de mon fardeau monétaire, je me dirige nerveusement vers la colline indiquée, apeuré de la possibilité de faire une connaissance peu fortuite.

« Le chef d'une tribu de hippies… ça promet. »

Le sentier est bordé d'une jolie cascade venue des pays d'en haut ; étonné, j'y surprends Adam et Ève s'adonnant vigoureusement à un exercice reconnaissable de procréation.

— *Excuse me, where can I find the Chief ?*

— *Follow the path.*

Le tracé s'arrête abruptement à l'ombre de grands arbres, m'annonçant que je pénètre alors dans un environnement qui ne m'est pas familier. Un village d'hurluberlus. La forte odeur émanant des latrines me pique les yeux, je me bouche le nez en observant une personne endormie parmi les déchets étalés sur un vieux matelas sale et moisi.

« Qu'est-ce que je fous ici avec 500 $ US dans les poches, je vais me faire dépecer ou manger… »

Arrivant dans une petite clairière, je reste ébahi.

C'est trop cliché, impossible.

À partir de mes pieds, l'inclinaison du terrain augmente devant moi sur quelques mètres. L'endroit doit faire cinq ou six mètres de diamètre. Au pied de cette pente, trois personnes sont couchées sur le dos, les yeux vides de sens. Un peu plus haut, vers la gauche, un gros homme est assis sur une espèce de trône métallique avec, à son bras, une demoiselle nue de tenue vestimentaire, les yeux rougis par quelque chose d'illégal. Mon regard se promène lentement vers le haut et analyse chaque morceau de cette scène incongrue qui s'accompagne d'une douce mélodie des Beatles que je reconnais, *Strawberry Fields*.

Tout en haut…

Tout en haut, une immense créature, à la limite de l'humain, me rappelant Jabba the Hutt dans *Star Wars*.

The Chief.

Avec, à ses bras, deux dames au regard acidifié et à l'expression tourmentée, tout aussi peu vêtues que je ne pourrais l'imaginer.

Tous me dévisagent.

Je les dévisage.

Le chef daigne m'adresser la parole de sa voix grave.

— *What do you want?*

— *Your boat, Sir.*

— *My boat? The waves are too big.*

— *We will pay.*

— *How much do you have?*

— *How much do you charge?*

La tension monte.

— *150$ US per person.*

— *What? Sir, we're just backpacking around, we don't have that kind of money.*

— *It's that or nothing.*

— *I'll offer you 100$ per head, we're five, so 500$.*

— *Five, huh? There's seven places in the zodiac, that could work.*

Le *Chief* hésite.

— *Deal. Give me the money.*

— *I'll give you 250 now and the other half when we arrive at destination.*

— *Mmm. OK, let's meet at the jet ski in 30 minutes, grab those garbage bags and put your bags in it.*

— *Why?*

— *Just do it.*

Je ne suis pas certain d'avoir fait une bonne affaire, reste que c'était la seule option disponible. À mon retour sur la plage, les gars m'accueillent en m'interrogeant.

— Pis? Tu es allé où? Avons-nous accès au bateau?

— Je viens de négocier avec Jabba the Hutt assis sur un trône de fer, accompagné de son harem de tout-nus sur le LSD.

— HAHA! Quoi?

— Nous avons une embarcation, mettez toutes vos affaires dans les sacs de poubelles et direction motomarine.

— Pourquoi les sacs de poubelle?

— Je suis pas certain, pour éviter de mouiller nos affaires, j'ai l'impression.

Entretemps, un jeune couple s'amène à notre rencontre nous expliquant qu'ils ne veulent plus passer la nuit ici et nous demande s'ils peuvent tenter la traversée avec nous. Je leur explique le tarif à payer au chef et le nombre de places limité, mais si Jabba est d'accord, nous n'y voyons point d'inconvénient! Nous regardons la mer, perplexes, les vagues ont pris de l'ampleur et viennent se fracasser avec violence à un jet de pierre devant nous. L'autre homme de la tribu que j'ai aperçu quelques minutes auparavant, le chef adjoint, s'approche rapidement et nous fait comprendre que la fréquence et la hauteur des vagues s'avèrent un réel problème.

Nous l'avions en effet constaté.

— *Put all the garbage bags on the wooden plank behind the jet ski, i'm gonna strap them tight.*

Il y a en effet une espèce de plateforme à l'arrière de la motomarine, et nous y déposons notre précieux bagage d'effets personnels avec une légère anxiété. Je me console en me disant que le moteur de cette machine doit être assez puissant pour passer rapidement au travers du mur d'eau devant, assurant ainsi la sureté et l'étanchéité des sacs de poubelle. Nous comprenons que le plan du chef adjoint est de s'assurer que nos bagages se rendent à bon port, pour qu'ensuite il puisse réaliser des va-et-vient et nous amener à notre tour.

— *The engine is strong enough to pass easily through the waves?*

— *No no, the engine doesn't work.*

— *WHAT THE...*

— *Look guys, just do as I say, the engine is broken so we'll use this jet ski as a floating device. Let's grab it, three on each side. Yes, like that. When I say go, we'll carry it in the water and we'll wait for the good time*

Hawaï, la verdoyante.

Reprendre des forces avec de (trop) maigres provisions.

frame to push it between two waves. It will flot by itself until it reaches the zodiac.

— Doux Jésus Marie. Ce gars-là, c'est un malade.

— On va se faire ramasser par les vagues.

— *Dude, impossible.*

— *Yeah yeah just trust me.*

Avoir confiance ? Tu m'en demandes beaucoup.

Francis, Balboa et moi d'un côté, Erick, Phil et le chef adjoint de l'autre. Nous traînons lentement l'embarcation jusqu'à l'eau en attente de l'ultime signal. En place, nous échangeons un regard sceptique.

— Je la sens pas, cette histoire-là.

— Moi non plus.

Une immense vague s'approche, menaçante.

En s'époumonant, le chef adjoint nous donne nerveusement ses instructions.

— *After this one breaks, we wait for the rip tide and push strongly the jet ski the furthest possible.*

La vague explose avec fracas devant nous, et bien ancrés, nous luttons fermement pour ne pas être emportés par les remous. Quelques secondes plus tard, le courant change rapidement de direction et nous pousse vers le large.

— *NOW!*

Avec détermination, nous courons en empoignant fermement l'appareil et nous le projetons...

— *WAIT ! Shit, another wave !*

Trop tard.

Un monstre.

Avec l'effet d'entraînement, nous ne pouvons retenir la motomarine.

« Affronter la tempête. »

La motomarine affronte la vague au ralenti, jusqu'à devenir complètement vertical.

Puis, le lourd appareil est violemment projeté sur nous.

Une fraction de seconde pour réagir. Chacun pour soi. Impossible de faire autrement.

Le feu dans les yeux, nous réagissons tous à la vitesse de l'éclair en plongeant chacun de notre côté respectif.

La vague s'écrase douloureusement sur nous en nous emprisonnant de son tourbillon marin.

Prisonniers de la mer, le temps est long.

Heureusement, le niveau de l'eau est bas, et il m'est facile de retrouver mes repères pour m'élancer vers le haut et prendre une bruyante respiration.

Francis, Balboa et Erick et Phil sont déjà hors d'état de noyade.

— Wow, personne n'est blessé.

Nous constatons le résultat. La planche derrière la motomarine s'est détachée sous l'impact, et nos sacs de poubelle en ont été éjectés aux quatre coins de notre champ de vision.

Nous saisissons alors l'importance de ces sacs. Ils flottent !

— *Wow, that was close, change of plan, guys. Each of you swim toward a floating bag and carry it to the zodiac. It's far, but you can make it.*

— Il est sérieux, lui ?

— *Oh yeah... and swim fast, I saw a few tiger sharks hanging around this morning.*

— C'est certain que c'est une *joke*, son affaire !

— Il est pas sérieux lui avec ses requins-tigres ?

— Aucune idée, dépêche !

Au même instant, le *Chief* rapplique avec ses amies de cœur et plonge dans l'océan en direction du large.

Éberlué, je constate.

Jabba peut nager.

Étonnant.

Nous agrippons chacun un sac noir et nageons en direction du zodiac, tout au loin. Épuisés et haletants, nous prenons place en silence à bord du rafiot désuet. Je constate que nous sommes cinq, plus le jeune couple, et voilà le *Chief* qui s'additionne de ses deux étourdies.

Dix dans un canot pneumatique pouvant difficilement en contenir sept.

Plus notre amas de sacs de plastique.

Intéressant.

Le canot pneumatique s'alourdit de notre inquiétude, et la ligne de flottaison du bateau n'est plus du tout respectée.

— *Chief, how far to reach the starting point ?*

— *Two hours !*

Eh, merde.

Phil semble particulièrement heureux de se laisser bercer par les flots et enfonce sa main dans l'eau froide de la mer.

— *I wouldn't do that if I was you. A guy lost his hand last year. Tiger sharks can be really aggressive.*

Phil retire rapidement sa main et semble particulièrement heureux de toujours en posséder deux.

La balade est étonnamment extraordinaire, elle nous permet d'observer la côte d'un angle différent, de l'apprécier d'une autre manière. Petits et silencieux devant l'immensité de la nature, nous sourions. Nous imbibant de la particularité de cet instant.

Je réalise encore une fois l'importance de toujours laisser une certaine place à l'improvisation, d'ouvrir nos cœurs à l'inattendu. Nous venons de vivre une journée mémorable, et ce, parce que nous avons voulu faire les choses autrement.

Le sablier se vide de son contenu et nous arrivons au large de notre point de départ.

— *You guys jump here ! The waves are too big to go closer.*

Nous étions sur le point de nous jeter à l'eau, lorsque Phil s'écrie avec l'horreur que seule cette situation peut produire.

— *Dude ! Look over there !*

Un aileron au loin.

— Tu as mal vu, Phil, c'est certain que tu as mal vu.

— Je te jure, *man*, un putain de requin.

Au large, impossible de distinguer quoi que ce soit.

Mais le *Chief*, lui, l'a vu.

— *I saw it, it's pretty far away, no big deal. Now you guys jump !*

Il agrippe un sac de poubelle près de lui et le lance dans la mer.

— *You better get it before it gets lost, use it as a floater !*

Nous sommes dangereusement loin de la côte, avec un requin-tigre dans les parages. Méchant beau cocktail. Ne sachant point si c'était le sien, Francis ne se fait pas prier et se lance dans la mer en sa direction. Balboa prend un sac au hasard, le lance à la mer et s'y jette à son tour.

— Les *boys*, la probabilité de se faire personnellement arracher un morceau de jambe diminuera si nous sommes côte à côte.

— Vu de cette façon.

Je donne le reste de l'argent promis au *Chief* et, armé d'un sac noir, je plonge à mon tour dans l'inopiné de cette situation et dans la noirceur de son océan.

En appuyant sur la porte de l'entrée de l'hôtel, la sonnette retentit.

Complètement trempés, nous avançons dans le hall de réception.

Le gérant apparaît derrière le comptoir.

— *NO WAY ! YOU DID IT !*

— *Well... yeah.*

Cinq téquilas, s'il vous plaît.

Nous avions réussi l'aller-retour... à notre façon, bien entendu.

# # #

Le plaisir d'être entre chums !

Eux, ils sont bien préparés. Pas nous !

HISTOIRE BOLIVIENNE
L'ultime histoire

Aux environs de 8 500 av. J.-C., Amérique du Sud.
À minuit moins une de l'ère préhistorique,
le dernier millilitre d'eau d'un ancien gigantesque
lac salin s'évapore dans l'air, laissant comme
héritage la plus vaste étendue de sel au monde.
Le Salar de Uyuni.

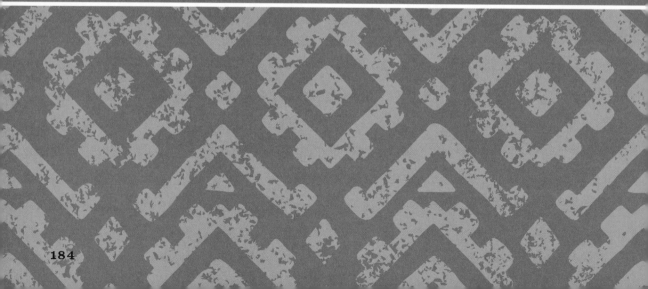

QUI EST AVEC MOI ? John et Daniela.

JOHN : Voyageur capoté n'ayant plus besoin de présentation. **DANIELA :** Alias D. Voyageuse avec laquelle nous avons durement festoyé à Carthagène, en Colombie. La vie a voulu que l'on se retrouve en Bolivie à bord de notre éternelle monture motorisée.

Marcher sur un miroir infini !

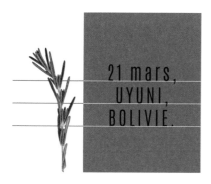

21 mars, UYUNI, BOLIVIE.

10 h 10. Je suis au Québec.

Mon téléphone sonne.

Je regarde le nom sur l'afficheur.

John.

Si John m'appelle, c'est qu'il a quelque chose à me proposer, une bonne ou une mauvaise idée.

— *Hey mate, how are you ?*

— Je vais bien, merci, dans quel coin du monde es-tu ?

— Californie, et j'ai quelque chose à te proposer !

Tu m'étonnes.

— J'ai trouvé un excellent prix sur un vieux camion Nissan 1996, depuis le temps que nous parlons de faire un méga *roadtrip,* nous pourrions l'acheter, le conduire de Los Angeles jusqu'à la Terre de Feu en Argentine, en passant par l'autoroute panaméricaine, qu'en dis-tu ?

— Wow, intéressant, je n'aurai malheureusement pas le temps nécessaire pour parcourir ce trajet au complet, mais je pourrais te rejoindre à mi-chemin ! Comment traverserions-nous la région du Darien ?

La région du Darien, qui fait 160 kilomètres de long et 50 kilomètres de large, est située à cheval entre le sud du Panama et le nord de la Colombie. Elle est constituée en partie de forêts tropicales humides ainsi que d'innombrables marécages, de tribus locales, de bestioles de toutes sortes, de groupes rebelles colombiens ainsi que de nombreux narcotrafiquants.

Un maudit beau pot-pourri mortel.

Autre donnée importante, à cet endroit, il n'y a pas de route ni d'infrastructure. C'est le seul endroit où les 48 000 kilomètres d'autoroute traversant les deux Amériques sont fracturés.

Le chaînon manquant.

John continue.

— Le détroit du Darien est une aventure en soi, je pensais plutôt mettre le camion dans un conteneur à Panama City et le faire transporter par bateau jusqu'au port de Carthagène, en Colombie.

— Excellente idée, je te rejoindrai le 30 décembre à Carthagène, bonne route !

Sans le savoir, j'allais m'embarquer dans une aventure qui allait possiblement être ma dernière.

Les moments vécus entre le 1er janvier et le 20 mars sont mémorables. Neuf mille kilomètres à sillonner la Colombie, l'Équateur, le Pérou et la Bolivie. L'exercice se résumant en de nombreux problèmes mécaniques, de la débrouillardise, des accidents, des paysages invraisemblables, des cités incas ancestrales, quelques légères chicanes, des réconciliations, des arrestations policières, des rencontres improbables, des réveils bien accompagnés, des amitiés nouvelles et parfois éphémères, des surprises, des rires, des peurs et certainement des souvenirs ineffaçables.

Mais... le 21 mars allait démontrer que tout ça n'était que de la petite bière.

21 mars, Ville de Uyuni, Bolivie.

11 h 11.

Je pars en solo au petit marché du coin, histoire de faire les provisions pour l'expédition de deux jours et une nuit qui nous attend. Moi qui essaie de toujours trouver du positif à un endroit, je constate qu'Uyuni n'a absolument rien de charmant. C'est une ville brune et terne, et le seul détail qui détonne est le sourire de certains de ses habitants. Enfin, voilà.

J'arrive au marché et je commence les emplettes.

Trois bouteilles d'un litre d'eau pour trois personnes.

Quelques légumes, des œufs, du café en poudre et trois paquets de Ramen.

Ce n'est qu'une nuit, après tout. Au yâble la grosse gastronomie.

Ah, oui. L'essentiel.

Quatre bouteilles de vin et six cervoises locales.

Pendant ce temps, John et notre nouvelle amie à bord, Daniela, se chargent de faire le plein d'essence, de vérifier l'état des pneus et de s'assurer que le liquide refroidissant du moteur est suffisant.

Midi. Je suis assis sur ma boîte de provisions, le soleil me cuit tranquillement le visage, lorsque j'aperçois notre camion qui s'approche.

— *Everything good, Gui? Did you buy enough wine?*

— *Yeah yeah, we should be fine.*

— *Good. Let's go!*

Les 13 kilomètres qui nous séparent de l'entrée du désert de sel sont musicalement comblés de cinq chansons des Sœurs Boulay.

— *Stop putting French music!*

— Tu seras DJ plus tard!

Nous franchissons lentement les derniers mètres de terre ferme en distinguant la naissance soudaine d'un miroir infini. Comme si nous quittions la côte pour pénétrer sur un océan solide, immaculé et... hostile. En cette saison des pluies, le territoire couvrant le désert de sel est pratiquement noyé sur son entièreté d'une fine pellicule d'eau.

Créant ainsi l'effet irréaliste d'un paysage d'un autre monde reflétant parfaitement toutes les incongruités du ciel bleu. Nous nous apprêtons donc à franchir une centaine de kilomètres sur ce plateau fantastique et à y passer la nuit en son seuil.

Les roues du véhicule fracassent finalement la légère couche d'eau laissant dans notre sillage la réflexion brouillée d'une valse d'un million de rayons lumineux. Le soleil est au plus haut de sa course, et notre bonheur l'est aussi lorsque j'agrémente le moment d'une douce symphonie de Yann Tiersen. Nous croisons quelques tout-terrains au passage, des touristes sur la banquette arrière avec leur guide au volant. Le tour guidé conventionnel dans le désert de sel bolivien se résume

en une journée de camion suivi d'un rapide arrêt au curieux hôtel de sel pas bien loin. Pour les plus courageux s'additionne une escapade d'une vingtaine de kilomètres jusqu'à l'étrange île aux cactus géants en plus de passer une nuit chez l'habitant sur la rive nord du désert au pied du majestueux volcan Tunupa.

Je n'ai jamais été un grand partisan des tours guidés, nous vivrons donc notre propre épopée à nos risques et périls.

Ce que nous ne savions pas à cet instant, c'est que de s'aventurer sur le désert de sel sans guide chevronné est illégal et extrêmement risqué.

Mais ça, nous allions prochainement nous en rendre compte.

— Avez-vous remarqué qu'étrangement, les autres camions ne roulent pas plus vite qu'environ 10 km/h?

— *Is there any speed limit on a desert? Let's have some fun!*

Le pied se fait alors plus pesant sur l'accélérateur.

Première erreur.

L'heure qui suit est tout simplement absurde : à 50 km/h, au contact des pneus, l'eau est dirigée avec une telle force sur le pare-brise que même les essuie-glaces battant à toute vitesse ne font guère leur travail. Nous avançons donc à vive allure sans regarder la route, mais en suivant les indications du GPS sur l'écran de téléphone.

— Nous venons de perdre le signal téléphonique, nous sommes vraiment seuls.

— *GPS still working? Yes? Where should we spend the night?*

— Sur le téléphone, j'aperçois un petit point noir presque en plein cœur du désert, ça doit être une île. Nous pourrions y installer la tente, nous faire de bonnes grillades et ouvrir les bouteilles de vin?

— *Sounds like a good plan! My turn to be the DJ now. Are you down to consume a little of « Lucy in the Sky with Diamonds »?*

— Ici, maintenant? Oui, bien sûr, j'ai toujours été un grand *fan* du travail des Beatles.

Bienvenue dans le désert de sel.

PÉROU BRÉSIL

BOLIVIE

CHILI

Uyuni ★

PARAGUAY

ARGENTINE

Certaines chansons ciment les moments mieux que d'autres. Avec modération, bien entendu.

En roulant à vitesse constante sur l'océan de sel, nous nous abreuvons des sensations que cette mélodie unique nous apporte.

Soudain...

— *Shit, dude, look at the engine temperature gauge!*

Le moteur est en train de surchauffer dangereusement, l'aiguille du tableau de bord est bien disposée à nous faire comprendre que le moment est crucial et que ce n'est pas le temps de jouer aux cartes.

— *Stop the car!*

Nous sortons rapidement en posant les pieds sur le plancher de sel blanc où l'eau nous monte jusqu'aux chevilles. J'ouvre le capot, et nous constatons rageusement en deux langues différentes.

— Tabar... *Fuck!*

Je ne connais toujours rien en mécanique, mais je peux déceler un problème lorsqu'il y en a un. Le moteur au grand complet est couvert d'une solide couche de sel. Les ailettes du radiateur sont soudées d'une croûte blanchâtre, un signal de fumée sortant d'un tuyau quelconque nous envoie un message qui n'est pas le bienvenu, et comble de malheur, le liquide refroidissant coule comme le Titanic. Voilà pourquoi les autres tout-terrains avançaient lentement, nous comprenons alors notre erreur. L'eau est complètement saturée de sel et, à grande vitesse,

elle est directement catapultée dans tous les orifices mécaniques de notre monture motorisée. Entraînant l'actuel résultat.

À 16 h, au milieu de nulle part, sans signal téléphonique, la situation se corse.

Nous décidons donc de laisser le tout refroidir pour un certain temps, histoire d'analyser et de réagir de la bonne façon.

Mais Daniela nous fait remarquer un détail de taille, qui va évaporer toute forme de rationalité restante.

— Regardez le ciel.

À toi, lecteur, je t'invite maintenant à mettre la symphonie *Experience*, de Ludovico Einaudi en trame de fond avant d'entamer la suite.

Car c'est ce que j'ai fait à cet instant, et cette chanson allait jouer en boucle pour les quatre prochaines heures.

Nous nous asseyons en silence sur les rebords des fenêtres du véhicule, les pieds à l'intérieur, et le reste du corps orienté vers l'inimaginable. Le ciel est en furie, il explose et implose, de l'orangé au violet en passant par le bleu et le doré.

L'improbable tableau étant dédoublé sur le parfait miroir sur lequel nous flottons. Un double coucher de soleil. Je distingue une à une les couleurs vivifiantes, il n'y en a pas cent, il y en a des millions. Il y a deux soleils, deux boules de feu, deux étoiles, une dans le ciel, et l'autre sous l'horizon qui n'existe plus, je ne comprends pas ce que je vois.

C'est trop beau, impensable. Inexplicable.

En pleine fusion d'arc-en-ciel, les deux astres célestes, en pleine motion de révolution, vont éventuellement entrer en collision à l'endroit même où nous pouvons imaginer la ligne d'horizon. C'est nucléaire.

Deux soleils qui se fondent dans une parfaite synergie, laissant dans leur traînée magistrale une orgie pastel d'émotions et mon cœur en émoi.

Je pleure. Je n'ai jamais goûté pareil spectacle. C'est la plus belle chose que j'ai vue à ce jour. Je me retourne, John pleure, Daniela pleure.

En silence, nous pensons tous la même chose.

C'est pour ça que je vis.

La nature est loin d'avoir dit son dernier mot. Suivant le premier acte, sans entracte, l'astre lumineux disparaît en emportant avec lui l'héritage de couleurs qui a marqué nos esprits et la personne que nous sommes.

La larme à l'œil, nous ouvrons une bouteille de divin nectar de raisin, en partageant le liquide ainsi que la valeur de l'instant présent.

Mais, en regardant à l'arrière, je suis pétrifié d'improbable.

Le deuxième acte.

Un raz-de-marée chargé de ténèbres et de milliers d'étoiles nous envoûte de sa sidérale voie lactée. Nous nous agrippons fermement à la structure du véhicule et, sans le savoir, nous amorçons notre voyage interstellaire.

Étant sur un miroir de 10 000 kilomètres carrés, il n'y a plus de ciel ni de terre, il n'y a qu'un tout. Une entité. La pluralité d'étoiles qui gravitent au-dessus de nos têtes est tout aussi présente lorsque je pose le regard vers le bas. Nous sommes enveloppés par l'univers. D'un coup, le vent se lève, nous donnant l'impression d'avancer à pleine vitesse entre les étincelles du ciel. Accompagné de la symphonie de Ludovico, de John et de Daniela, ce soir-là, je réalise mon premier voyage dans l'espace. Mémorable.

En transe, je sors du véhicule et me lance dans les étoiles. J'avance doucement pour ne pas perdre pied dans le vide universel. Étourdi, je m'agenouille machinalement sur une étoile scintillante, je m'agrippe alors aux constellations de cet hémisphère tout en versant une larme aussi salée que l'eau sous mon corps. C'est incontestablement le moment le plus beau, le plus puissant et le plus marquant de toute mon existence.

Je me relève lentement, sans perdre l'équilibre. Je fais quelques pas dans les étoiles et je remercie la vie du trésor qu'elle vient de m'offrir.

— Wow, on vient de vivre quoi exactement ?

— *Not sure, there is no word…*

Me dirigeant vers le camion, je remercie Ludovico en fermant la radio (je t'invite à faire pareil) et en coupant le contact du moteur, que nous voulons allumer par intermittence pour économiser l'énergie de la batterie. Je reprends mes esprits. Nous venons de vivre de grandes choses, mais la situation demeure extrêmement précaire. Après une estimation de l'échelle des distances sur le téléphone, nous décidons de mettre le cap à l'ouest où se trouve une petite île à moins de deux kilomètres. Le problème, nous devons sacrifier une de nos bouteilles d'eau pour pouvoir remplacer le liquide refroidissant qui s'est échappé, évitant ainsi au moteur de surchauffer. Chose dite chose faite, nous redémarrons le camion et, tranquillement, avançons dans la noirceur de la nuit bolivienne.

Rapidement, nous distinguons au loin une masse plus noire que le noir de la nuit.

L'île salvatrice, 500 mètres devant nous.

Le plan de *match* est d'y installer la tente, de reprendre nos forces, d'avoir les pieds au sec et d'essayer de réparer nos problèmes techniques.

Nous n'allions pouvoir combler aucun de ces désirs.

À 400 mètres de l'objectif, John ralentit notre erre d'aller.

— *You don't need to slow down that much, John.*

— *I can't go faster, the ground is not solid anymore !*

— *What do you mean not solid ?*

Dans un bruit que nous n'espérions point, le véhicule s'enlise soudainement dans une mare de boue salée.

Les quatre roues tournant à toute vitesse, sans broncher d'un iota.

Non, non, non !

Le camion n'était pas près de bouger de cet endroit.

Trop loin de toute civilisation pour nous y rendre en marchant, avec de maigres provisions, deux bouteilles d'eau et sans signal téléphonique. En plein cœur du désert de sel, allais-je vivre mes derniers instants ?

Déshydratés et épuisés, nous partageons une bouteille d'eau à trois et nous nous effondrons dans l'espoir que la nuit porte conseil.

Les premiers rayons naissants me ramènent à notre miséreuse réalité. J'ouvre difficilement les yeux en mijotant un dessein pour nous sortir de là. Nous allons devoir travailler en équipe d'une façon bien précise, car même en tentant de pousser le véhicule, celui-ci nous refuse le moindre mouvement. Daniela propose de faire le déjeuner, John et moi nous installons à quatre pattes dans la blanche boue salée et tentons, avec nos mains, de dégager les roues de cet enfer. Les microcristaux de sel ont tôt fait de nous trancher le bout des doigts qui se mettent à saigner sur-le-champ. Nous avons la tête qui tourne par manque d'eau, les lèvres craquelées par l'air salin, la peau rougie par la réflexion du soleil et l'énergie qui s'épuise drastiquement. John a l'excellente idée d'utiliser les casseroles comme des pelles, et avec Daniela, nous dégageons lentement, mais sûrement, toute la boue autour des essieux. Le travail est fastidieux et sans gage de réussite.

J'ai alors une idée.

Je vide mon sac à dos en vitesse, le mets sur mes épaules et pars en direction de l'île.

— *Where are you going, Gui ?*

— *Keep digging, I'll bring some grip !*

Chaque pas en direction de l'île est laborieux, je m'enfonce jusqu'aux mollets, mais comme dans *Les Boys*, j'ai la dureté du mental, et je continue d'avancer. En marchant, mon esprit vagabonde, et je réalise que mon vol pour Montréal est dans 18 heures et que, dans moins de 48 heures, je dois être sur le plateau de *Salut, Bonjour !*

Merde, je n'ai pas le temps de mourir !

Posant finalement le pied sur la terre ferme, épuisé, mes genoux fléchissent. Je me rappelle alors la raison de ma présence ici.

Du sable et des pierres.

Mon regard balaye le paysage.

D'immenses cactus de plusieurs mètres de haut sont les seuls témoins de notre boueuse épopée. Je remplis les 55 litres de mon sac d'un tiers de sable, un tiers de gravelle et d'un tiers de roches plus volumineuses. Pour la recette exacte, il faut demander à mon ami Ricardo.

Le sac doit peser 80 livres. Pas le choix.

Je repars en sens inverse avec l'intention de retourner à bon port.

À moitié chemin, je m'effondre. Impossible de faire un pas de plus.

John m'aperçoit, vient m'aider et prend le sac à son tour.

J'ai besoin d'eau, maintenant, mais il ne reste qu'une bouteille.

Nous prenons chacun une gorgée, et John m'annonce que le reste doit aller dans le système refroidisseur du moteur, sinon aucune chance de partir d'ici.

Enlisés pour y rester ?

192

L'espoir de s'en sortir diminue, mais la confiance est encore bien présente. Nous vidons le contenu de mon sac minutieusement, le sable, la gravelle et les pierres bien placés sous les roues. Ça y est, nous sommes fin prêts. John au volant, Daniela et moi-même devant le véhicule avec l'espoir de le pousser vers l'arrière en suivant nos traces établies.

— One... Two... Three... Go !

Nous poussons avec toutes nos forces, les quatre roues tournent une fois sur elles-mêmes, mais finissent par mordre sur les pierres et la gravelle. Tranquillement, le camion commence à bouger, il bouge, nous poussons de toutes nos forces, il bouge plus vite, nous poussons, il prend de la vitesse.

Un mètre, trois mètres, cinq mètres ! Mais tout d'un coup...

Le camion s'enlise à nouveau complètement et encore plus creux que la fois précédente.

Noooooonnn.

Je tombe à genoux, sidéré.

Nous sommes sans mots et tristes.

C'est la fin.

Est-ce réellement la fin tant que ce ne l'est pas ?

Non.

Dans un moment comme ça, le corps peut faire des choses magistrales, sécréter de l'adrénaline.

— *We are not gonna die here, we can do it, one last time ! Come on !*

Nous recommençons le même processus, la gravelle que je peux récupérer ainsi que les quelques pierres sont déposées sous les roues. Deux heures plus tard, à bout de toute forme d'énergie, les mains ensanglantées, nous tentons un dernier essai.

Daniela propose cette fois si le camion bouge, de tourner les roues légèrement pour refaire de nouvelles traces et éviter de s'enliser dans les anciennes. Essayons.

L'ultime essai. Le reste de notre énergie. La finalité.

John, au volant, me lance un regard, sans mot, j'ai compris.

The last chance.

— Daniela ? Mets-toi bien en place pour pousser, trouve-toi un ancrage solide pour tes pieds et pousse comme tu n'as jamais poussé de ta vie. C'est peut-être ta dernière fois.

— *Ready ? One...*

Je m'agrippe solidement au véhicule.

— *Two...*

Mes jambes sont fléchies dans un angle qui me donnera de l'explosion.

— *Three....*

Je prends une grande respiration.

— *GO !*

Les roues exécutent un 360 degrés avant de commencer à mordre légèrement sur la gravelle.

Nous poussons de tout notre être, avec toute notre âme... habités par l'instinct de survie.

Le camion bouge très légèrement, puis graduellement, John tourne tranquillement les roues. En traçant un nouveau sillon, les roues mordent avec plus de fermeté... Le camion prend de la vitesse...

Ralentit...

Puis reprend de la vitesse... Daniela tombe à bout de forces... Je fais cinq autres pas en criant et en implorant Jésus, Ganesh, Allah et Son Goku... Je tombe à mon tour. Ce n'est plus entre nos mains.

Le camion prend ses distances lentement jusqu'à devenir une infime tache noire sur le bleu et le blanc du décor

Puis, il s'immobilise...

Trois coups de klaxon au loin. John sort les bras en l'air. Le terrain est solide.

Nous avons réussi.

Les heures qui suivent filent à une vitesse rocambolesque. Le moteur surchauffe pendant tout le trajet du retour, mais tient le coup. J'ai dormi trois heures, pour ensuite filer à l'aéroport dès l'aurore. J'ai manqué ma correspondance en Floride à cause de problèmes mécaniques touchant notre avion. J'ai racheté en vitesse le dernier billet disponible en direction de Montréal, cette journée-là. Arrivé vers minuit à l'aéroport Pierre-Elliot Trudeau, je dors à peine deux heures avant que mon cadran sonne. En retard, je m'habille en vitesse et je reste pris dans le trafic sur le pont Jacques-Cartier. J'arrive en courant et en sueur sur le plateau de *Salut, Bonjour !*

5... 4... 3... 2... 1...

On est en direct !

Bonjour, Gino Chouinard, bonjour, Isabelle Racicot, bon matin à vous, à la maison !

Aujourd'hui, je vous parle du merveilleux monde des fines herbes !

# # #

C'est pas fini tant que c'est pas fini.

HISTOIRE DE VANUATU
Lave et crachats

En 1606, le navire portugais dirigé par
Pedro Fernandes de Queiros s'approcha
tranquillement d'une grande île verdoyante.
Il pensait avoir découvert l'Australie. C'était
en fait l'archipel volcanique de Vanuatu,
terre où le cannibalisme et la sorcellerie
faisaient alors bon ménage.

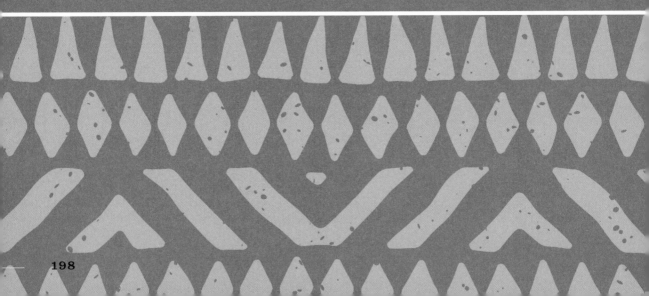

QUI EST AVEC MOI ? JE VOYAGE EN SOLO.

Mon repaire pour la nuit.

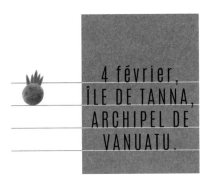

**4 février,
ÎLE DE TANNA,
ARCHIPEL DE
VANUATU.**

Je discute avec Greg, un habitué du pays. Il me mentionne alors une île mystérieuse, plus au sud, où certains cultes étranges ont su prendre racine dans une terre saturée de cendre.

— Tu devrais aller sur l'île de Tanna, Guillaume, il y a un volcan constamment en éruption qui cracherait de la lave depuis maintenant 800 ans. C'est un environnement vraiment intrigant qui mérite qu'on le découvre.

— De la lave, hein ?

— Ouais.

— Il y a depuis si longtemps que je projette d'en voir !

Je ne me ferai pas prier deux fois pour réaliser ce souhait.

Deux semaines plus tard, un petit avion à hélices se pose bruyamment sur la piste d'atterrissage de l'île de Tanna, et je suis avide de découvrir les secrets que cette contrée voudra bien m'enseigner.

Car elle m'en enseignera.

La première chose qui me fait sourire, c'est l'aéroport. Si on peut appeler ça un aéroport. Ici, pas de contrôle, pas de détecteur de métal, pas de garde de sécurité, seulement quelques oiseaux qui volent entre les murs en prenant bien soin de laisser savoir qu'ils sont passés. Tu peux amener ce que tu veux dans tes valises, tout le monde s'en fout !

Moi qui avais une folle envie d'embarquer des feux d'artifices, du propane et des épées japonaises... avoir su.

Je retrouve mon sac à dos sur une petite table et je m'esclaffe devant l'enseigne sur le mur.

« Dans cette enceinte, aucun passager pied-nu ne sera toléré ». *Welcome in Tanna.*

À la sortie du bâtiment, ou l'entrée, c'est selon, je suis frappé par l'absence de chauffeurs de taxi gourmands qui voudraient bien me soutirer quelques billets. Il n'y a que quelques badauds venant s'approprier des paquets de la capitale ou chercher la famille, mais aucun autre transport possible.

Pour la théorie du premier taxi, on repassera.

Tout ce que j'ai en ma possession est le nom de l'endroit où je suis censé passer la nuit. Volcano Tree House.

Oui, une maison dans les arbres.

Un gentil monsieur prénommé Moïse décèle l'incertitude dans mes yeux et m'accoste en me demandant où je veux bien me diriger.

— Volcano Tree House ? Je connais, c'est à un ami de mon fils situé dans la tribu voisine de la mienne, embarque dans la boîte du *pick-up* !

« La tribu hein, je m'en vais où, moi ? »

Moïse est ultra-sympathique et mange des mangues avec la pelure. Étonné, je fais de même, et nous décampons vers le sud en appréciant le vent chaud qui s'engouffre dans nos chemises. À ma gauche et à ma droite, les arbres défilent rapidement jusqu'à l'apparition d'un petit village.

— Ici, c'est le plus gros village de l'île, les gens qui peuvent se déplacer viennent y faire le marché, acheter du riz, du pain et quelques autres instruments nécessaires à l'hygiène personnelle.

Je ne vois pas de bar. Voilà qui m'inquiète.

Nous passons devant quelques bâtiments en ciment aux toits de tôle et prenons plein est, vers le cœur de l'île. La « civilisation » et le bitume des routes se retirent en un parfait synchronisme.

Place à la brousse.

Au début, tout baigne, le chemin est relativement beau, et je suis serein, mais à mesure que mon visage se couvre de poussière, le camion commence à sursauter dangereusement sur les sections concaves et les convexes du terrain naissant. Je m'agrippe fermement en tentant d'atténuer les secousses en utilisant mes jambes comme des ressorts. Moïse, lui, bien assis, fume une cigarette paisiblement en me regardant et en ricanant. Bientôt, nous arrivons alors au sommet d'une grande colline qui me laisse un aperçu percutant de la suite des choses. Devant, une immense vallée verdoyante qui va terminer son histoire où débute celle de l'océan.

À ma droite...

À ma droite... Je plisse les yeux, mes pupilles se dilatent, et mes palpitations augmentent rapidement.

Un paysage comme je ne pourrais l'inventer. Mon regard à vol d'oiseau longe longuement la forêt émeraude qui s'arrête spectaculairement à l'apparition d'une plaine couleur charbon qui s'élance majestueusement à son tour jusqu'au pied de l'imposant empereur de l'île.

L'impérial volcan Yasur coiffé d'une majestueuse couronne de fumée.

Nous dévalons la pente pendant une bonne heure jusqu'à la base même du volcan où un titanesque grondement de tonnerre me fige sur place. J'ose jeter un regard vers le ciel en m'imaginant de gros nuages chargés d'eau et à un déluge prochain, mais le ciel est bleu azur et dépourvu de toutes formations orageuses. Moïse perçoit mon regard interrogateur.

— Tu as entendu ça ? Ce sont les explosions récurrentes de magma au fond du cratère, parfois nous pouvons voir une pluie de lave jaillir hors du volcan.

Voilà qui me rassure, moi qui avais peur de me mouiller les fesses s'il se mettait à pleuvoir.

Le vent est chargé de cendres volcaniques, je dois me couvrir le visage comme un bandit pour éviter de boire la tasse. Ici, il n'y a pas de route, et la seule avenue possible est de monter la rivière en amont avec le *pick-up*, ce que nous faisons pour la prochaine demi-heure. En souriant, toujours. Pensif, j'observe une parfaite relation directe entre la rivière qui rapetisse à mesure que la jungle s'épaissit. Bientôt, la mâchoire de végétation se referme sur nous, et le camion avance avec plus de difficulté. Deux questions me traversent alors l'esprit. Comment est-il possible qu'une cabane dans les arbres, si creuse dans la jungle, au sein même d'une tribu ancestrale sans électricité, ait pu se retrouver sur le site booking.com ? Et comment diantre allons-nous pouvoir continuer d'avancer à travers une jungle qui a décidé de nous avaler ?

Le volcan Yasur.

202

Moïse me fait signe que nous arriverons sous peu en pointant devant.

L'épaisse végétation se sépare alors comme par magie.

Je ne contredirai plus jamais les pouvoirs de Moïse dans l'Ancien Testament.

Un regroupement d'une dizaine de personnes nous souhaite la bienvenue, et un certain Johnny vient me serrer la pince.

— Bienvenue au village! me dit-il dans un anglais étonnant.

En sautant de l'arrière du véhicule avec mon sac sur les épaules, je salue une dernière fois Moïse et le chauffeur et je m'apprête à constater l'état d'une vie diamétralement différente de la mienne. Quelques habitations de bambou et de feuilles de palmiers tressées, des enfants qui courent, des femmes qui vaquent à certaines occupations ménagères, mais à part Johnny, aucun homme. Étrange.

Mon hôte est souriant et a la bonne humeur contagieuse. Il m'explique qu'il a construit une maison dans les arbres dans le but de faire la connaissance de gens du bout du monde et d'amener un peu d'argent dans la communauté. Voilà qui est noble, Johnny.

— Voici ton habitation, je reviendrai en soirée pour le souper, prends tes aises et profite des environs, il n'y a aucun danger, ici.

C'est la première fois de ma vie que je dois me tordre le cou vers le haut pour constater où je dormirai. Une pittoresque cabane en bois, bien assise entre plusieurs branches latérales avec vue sur le magnifique Yasur au loin. En regardant l'arbre qui accueille en ses feuilles cette modeste habitation, j'ai l'imaginaire sidéré. J'apprendrai par la suite que c'est un figuier des banians, un arbre extraordinaire qui peut posséder 350 troncs principaux et 3 000 secondaires. Cet intrigant spécimen émet des racines aériennes qui, par gravité, toucheront un jour le sol, pour se transformer à leur tour en troncs secondaires. Le plus gros spécimen se retrouve à Calcutta, en Inde, et fait près d'un demi-kilomètre de circonférence! J'ai toujours voulu vivre comme Tarzan, voilà ma chance.

Il ne manque que Jane, mais ça, ce sera pour une prochaine fois.

Déposant mes pénates sur le petit lit enveloppé d'une moustiquaire, je m'assieds quelques instants pour savourer le moment et l'endroit. J'habite maintenant à la cime des arbres, avec un voisin volcanique qui gronde comme un métronome toutes les 15 minutes

Le figuier des banians, un arbre extraordinaire.

OCÉAN PACIFIQUE

ESPIRITU SANTO

MALEKULA →

ARCHIPEL DE VANUATU

EFATE →

ERROMANGO →

Tanna

et qui crache de la fumée comme s'il n'y avait pas de lendemain.

Wow.

Je réalise qu'il est 16 h, voilà qui expliquerait l'absence de tout être masculin. Si c'est comme le reste de Vanuatu, c'est l'heure du kava.

Le kava est la racine d'une plante cultivée de la famille du poivrier sauvage. On la consomme depuis des millénaires dans les îles du Pacifique autant lors de rites et de coutumes qu'à la fin d'une journée de travail. Quelques semaines auparavant, à Port Vila, la capitale du Vanuatu, j'ai pu observer le processus journalier de la production, ainsi que goûter les effets du kava. On fait sécher au soleil l'espèce de racine qui ressemble à un gros bout de gingembre, ensuite, on réduit le tout en poudre et on baigne la mixture dans l'eau. Le mélange est ensuite passé dans une espèce de moulinet métallique. La concoction est filtrée plusieurs fois, puis pressée jusqu'à l'obtention du liquide blanchâtre voulu. Le kava a un goût anisé et est consommé dans des petits bols ou des moitiés de noix de coco jusqu'à la sensation d'effets relaxants, anesthésiants et euphorisants. En gros, l'heure du kava, c'est un « happy hour » social, normalement entre 16 h et 19 h. Un genre de 4 à 7 universitaire, sans les lendemains de veille.

Pas mal, hein ?

La dernière fois, à mes deux premiers bols, ma bouche s'est engourdie, et après six ou sept, je me sentais un peu planer et confortablement serein avec moi-même. Contrairement à l'alcool qui rend volubile après plusieurs consommations, le kava, lui, relaxe et favorise la tranquillité introspective.

Pourquoi pas une couple de bols, aujourd'hui ?

Une fois les pieds de retour sur le plancher des vaches, je pars à la recherche du « nakamal », endroit communautaire parfois réservé aux hommes, où on y discute d'affaires locales, et endroit de prédilection pour consommer le kava. En passant devant une petite hutte à ma gauche, je salue Rina, la sœur de Johnny, et je m'enfonce tout droit dans la jungle. Entre les palmiers et les bananiers, quelques regroupements de petites huttes rustiques détonnent dans le décor sauvage. Je regarde ces gens qui profitent d'une vie réellement opposée à celle à laquelle je suis habitué. Sans électricité, ils ont les yeux rivés sur le moment présent, contrairement aux Occidentaux, qui eux, l'ont sur un écran. Ces personnes ne sont pas pressées par le temps, mais le sont pour te partager un sourire. Je fais un voyage dans le temps, ici, à Tanna, et j'aime ça.

En suivant un petit sentier balisé, je suis surpris par un cri.

— William, William, come here !

Au fil de mes voyages, j'ai remarqué que personne d'une langue maternelle autre que le français n'est capable de prononcer ou même de se souvenir de « Guillaume ». En voyage, quand je ne veux pas me casser la tête, je suis donc souvent William.

Faisant quelques pas en direction du cri, j'aboutis dans une immense clairière au sol noir de cendres et à l'ombre de deux immenses figuiers à banians. De la forme d'un cercle parfait, le « nakamal » doit avoir cent mètres de diamètre, une petite hutte communautaire à droite et une dizaine d'hommes assis sur des troncs d'arbres à ma gauche.

À cet instant précis, je n'aurais vraiment pas pu prédire la suite des choses.

Le moment est irréel, et le temps semble suspendu. Le silence n'est déchiré que par d'innombrables crachats et raclements de fond de gorge. Personne ne parle. Les 10 hommes sont assis en rond, et Johnny m'indique en silence de prendre place sur une des bûches disponibles. Personne ne boit le kava, mais chacun épluche à l'aide de couteaux affûtés le rhizome de kava que je reconnais tout de suite. Une fois la racine bien dévêtue de sa pelure, ils la croquent et la mastiquent longuement, pour la recracher ensuite. De cette façon, les effets sont directement ressentis dans la tête. En m'asseyant sans faire de bruit, intrigué, je porte mon regard lentement sur chacun des hommes qui, un à un, me saluent d'un hochement de tête. Tous ont la bouche pleine d'une mixture brunâtre qui n'inspirerait pas une chanson d'amour même à Bernard Adamus. Je ne suis pas dentiste, mais je

On est loin du Quartier DIX30…

porte un diagnostic au premier regard, il y a un réel problème ici. Certains laissent entrevoir une bouche dénudée de dents, où bien les chanceux ont quelques dents pourries ou totalement noircies. Dents ou pas, ils mastiquent sans relâche, se raclent la gorge et, une fois que la mixture est bien imbibée de salive, la recrachent.

Drôle de « *happy hour* » !

Un des hommes aux dents pourries, vêtu simplement d'un short troué, se lève vers moi et me sourit. Bien qu'incomplet, c'est un sourire sincère et rempli de générosité. Il me tend deux vieilles factures de caisse enregistreuse dans laquelle sont déposées des feuilles de tabac séchées.

— *Im chief of tribe, you take cigarettes !*

Je me roule alors la facture et l'allume avec un tison ardent. En m'étouffant avec la fumée du papier cirée, je souris à la vie qui a fait que je me retrouve ici à vivre ce moment unique. C'est pour ça que je voyage, pour vivre exactement ce genre de situation. J'inspire une bonne bouffée qui me brûle le poumon en regardant ces hommes qui se divertissent d'une étonnante façon.

En les observant, un détail capte mon attention. Le chef aux dents noircies se lève et va cracher à un endroit précis. Trois hommes aux dents pourries se lèvent aussi, se raclent profondément la gorge et vont cracher par-dessus le tas du chef. Le temps passe lentement, je termine de fumer ma facture et je réalise que, depuis le début, tous les hommes ont craché leur pâte boueuse au même endroit.

Sur une feuille de bananier. Bizarre.

Résultat ? Une accumulation de racines terreuses, mastiquée, crachée et imbibée de salive d'hommes à l'hygiène dentaire discutable. Vive les coutumes traditionnelles.

Un jeune adolescent arrive soudainement en courant avec une bonbonne de gaz remplie d'eau dans une main et, dans l'autre, un vieux sac de farine en jute. J'observe la scène avec attention. Un homme pose l'écorce d'une demi-noix de coco sur le sol, le côté ouvert vers le ciel, y dépose alors le sac de jute dessus et appelle aussitôt un autre homme en renfort. Personne ne parle, mais tout le monde regarde minutieusement le processus. L'autre homme se penche et ramasse la feuille de bananier avec la cinquantaine de crachats aux 50 lueurs de brun.

Je me rallume une facture, subjugué par ce spectacle.

L'homme à la feuille de bananier verse l'immonde contenu de crachats sur le sac de jute qui fléchit et épouse la forme de l'intérieur de la noix de coco. L'adolescent à la bonbonne verse son mélange d'eau

La chaleur des gens de Vanuatu.

et probablement de résidu d'essence sur la pâte visqueuse, je comprends maintenant que le sac de farine fait office de filtre.

Je fume intensément ma facture.

L'adolescent dépose la bonbonne et, à mains nues, va prendre le mélange de crachats qui est maintenant bien mouillé et le serre de toutes ses forces. Un liquide blanchâtre se détache et passe au travers du vieux sac de farine pour terminer son improbable course dans le récipient de coco.

Je comprends, j'anticipe.

Non, non, non.

Le chef se lève lentement à son tour, ramasse le bol de coco rempli de l'innommable liquide et se tourne vers moi.

Non, non, non.

— *Welcome in tribe, William.*

À cet instant, j'extériorise fortement trois mots d'église.

Le récipient pour mettre le vin de messe, suivi du surnom du petit Jésus lui-même ainsi que le meuble eucharistique.

Le calice, le christ ainsi que le tabernacle.

Il y a des moments dans la vie où on ne peut refuser, même si on le souhaite ardemment. Mon Dieu, si je bois cette mixture, je vais mourir intoxiqué, que je me dis. Je comprends aussi que c'est un signe d'ouverture, d'hospitalité et de générosité de la part de cette tribu.

Pas le choix. Au pire, je passe la nuit à vomir et je serai rescapé en hélicoptère.

Je prends le bol de coco dans mes mains en regardant le résultat salivaire d'une dizaine d'hommes. Prends une grande respiration...

Je jette mon regard une dernière fois sur ces gens d'un autre monde, d'un temps différent du mien, sans artifices, à l'affût du «maintenant», célébrant chaque petite victoire en communauté. Ces gens qui, pendant un court instant, auront laissé une empreinte indélébile dans ma mémoire en m'acceptant auprès des leurs.

À ce moment précis, des frissons de bonheur émanent dans tout mon être, et je réalise que la vie est sublime et mérite qu'on prenne le temps de savourer ses imprévus. Même dans un bol de coco.

Santé !

# # #

Le temps s'arrête, avant de repartir…

J'avance tranquillement dans l'allée en regardant mon billet.

36 F.

Super, côté hublot.

Je m'installe, boucle ma ceinture et m'évade dans le tourbillon de mes pensées.

Le temps s'arrête graduellement.

Le décor se brouille, il n'y a plus personne autour de moi, je suis seul dans l'avion.

Plus de bruit, plus de mouvement.

L'avion décolle.

Je revois l'entièreté du long métrage que je viens de vivre.

Je revis les grands moments, tout comme les plus petits.

Je sens les odeurs, la fraîcheur, la chaleur et le vent.

J'aperçois les montagnes, les déserts, les océans.

Je constate l'étendue des décisions que j'ai prises.

Les gens qui ont illuminé mon passage et ma vie.

Ce voyage est un morceau de casse-tête additionnel que je dépose et qui vient s'imbriquer à côté d'un précédent. Le tableau de mon existence prend forme, et j'aime ce que je vois.

Je l'apprécie.

Je sens maintenant le bonheur circuler vigoureusement en moi.

Parce que le bonheur, ça se sent.

Les retours de voyage sont de loin beaucoup plus complexes que les départs.

Je prends maintenant un doux plaisir à les vivre.

Mais ça n'a pas toujours été le cas.

Après mon premier véritable voyage sans mes parents, deux semaines au Costa Rica avec le collège, j'ai touché une corde sensible et goûté la noirceur pouvant être ressentie lors d'un retour de voyage.

J'ai 15 ans à l'époque et je viens de vivre un grand moment. Je viens de me délecter du plaisir d'aider autrui en travaillant dans un petit village fermier situé dans les montagnes, en ayant mes premiers soupers et fous rires dans une famille qui parle une langue que je ne comprends pas et en découvrant le vertige qu'apporte le sommet de certains volcans.

Je viens de goûter la nouveauté. Je viens de voyager.

Le retour m'attend avec une brique, un fanal et un constat.

Finis, ces moments de pure liberté. Finie, la folie de ne pas savoir ce que demain nous réserve. Finies, ces sensations de grandeur qui ont inondé mon âme et mon corps.

Demain, j'ai de l'école et des responsabilités. Que c'est nul, tout ça.

Six mois dans le néant.

C'est alors que j'ai réalisé quelque chose. L'école me permettrait logiquement d'avoir un travail que j'aime ou pourrait du moins m'aider à trouver ma voie.

Cette voie pourrait-elle ensuite me permettre de repartir en voyage ?

Le travail que je n'avais pas envie d'avoir cet été-là, lui, pourrait-il m'aider à récolter l'argent nécessaire pour repartir ?

Ça valait le coup d'essayer.

L'ivresse de voyager est alors devenue une raison de me réveiller, une mission.

En mettant la main à la pâte dans le but d'atteindre mes objectifs, j'allais prendre plaisir à vivre chaque jour qui me rapprocherait de mon saint Graal.

Les ténèbres se sont dissipées, et une flamme s'est allumée.

Une flamme qui brûle éperdument, avec plus d'intensité encore et qui maintenant me fait savourer les retours en justifiant la phrase suivante :

« Il faut revenir pour mieux repartir. »

Je regarde par le hublot le plancher de nuages qui défile lentement.

Ces dernières semaines, j'ai beaucoup vécu, je me suis assouvi d'audacieuses expériences, mon cerveau bouillonne, j'ai pris de la vitesse et je sens que j'ai une erre d'aller qui n'est pas près de s'arrêter.

La fin d'un périple offre un héritage considérable : l'effet « locomotive ».

La motion d'une énergie distincte vivifiante et une puissante aura de légèreté qui nous permettront de changer les choses que nous avons envie de changer.

La fin d'un voyage n'est simplement que le début d'un autre.

Le temps file…

Je regarde l'écran devant moi : à 899 km/h exactement, dans 3 h 23, je serai à la maison.

À 39 000 pieds d'altitude, je suis fier de moi.

Ce voyage en aura été un grand. J'ai partagé d'époustouflants instants avec des amis de longue date, j'ai serré des mains nouvelles, échangé des sourires éphémères et vécu des épisodes qui ne s'expliquent pas, je me suis extasié de cultures et de langues que je ne connaissais pas, parfois tard le soir. J'ai fait le plein d'intéressantes histoires que je ne conterai qu'à mes chums, le soir, en buvant du vin.

J'ai aussi voyagé seul, et *tabarnouche* que c'est plaisant. Tellement différent. Tellement gratifiant. De grandes découvertes introspectives surviennent uniquement lorsque nous voyageons en solitaire. Quand nous prenons le temps d'être bien avec nous-mêmes.

J'aperçois finalement la terre ferme, elle est sertie de quelques irréductibles monticules enneigés.

Ça bourgeonne le printemps jusque dans l'avion.

Dans 15 minutes, je toucherai le sol du Québec. Chez nous.

Je suis profondément attaché à mes racines et à ma langue.

Je suis Québécois, mais tout aussi citoyen de tous les horizons.

En voyage, lorsque je rencontre des gens du bout du monde, je suis tellement fier de leur dire que ma langue première est le français, mais je suis tout aussi fier de pouvoir me faire comprendre en l'expliquant en anglais.

Un n'empêche pas l'autre.

N'ayons pas peur d'apprendre, pour mieux défendre ce qui nous est cher.

N'ayons pas peur de nous informer, pour mieux comprendre ce qui nous effraie.

N'ayons pas peur d'écouter, pour mieux ouvrir les bras.

Et surtout... n'ayons pas peur d'affirmer qui nous sommes et qui nous voulons être.

Huit minutes avant d'atterrir.

Le moment que j'attendais. Ma tradition.

Chaque voyageur possède son moment, sa chanson.

Dans mes oreilles, je sublime l'événement d'un « Je reviendrai à Montréal » de Charlebois, suivi de « On tient l'coup » des Cowboys Fringants.

Pourquoi ? Je ne sais pas, c'est comme ça.

La dernière note de la chanson, l'avion touche finalement le sol.

Ce sentiment.

L'extase.

J'ai tellement hâte de vivre la suite des choses.

Je sais que je vais me planter parfois, mais j'ai hâte de me relever.

J'ai hâte de m'améliorer. J'ai hâte de sourire et de rire.

Hâte de mordre dedans, tsé.

Mais… j'ai surtout hâte de partager tout ça avec les gens que j'aime.

L'avion s'arrête.

Je sors tranquillement de mes pensées. Je détache ma ceinture, le brouillard disparaît tranquillement.

En levant la tête, mon cœur s'arrête.

À quelques rangées devant…

Un regard qui dit tout.

Et finalement, après toutes ces années…

Elle me sourit.

Ça doit être aussi ça, partir sans destination.

Mais ça, seul l'avenir me le dira.

Cheers

Remerciements
PEACE !

Parce que de tels périples ne se vivent jamais seul, je dois dire merci.

Merci à ma mère, Louise, qui a été et est toujours une formidable architecte de mon désir de réussir et de m'épanouir. Un exemple de courage, d'énergie et de résilience.

Merci à mes amis, figurant ou non dans cet ouvrage. Vous êtes ma famille et de grands artisans du plaisir que j'éprouve à vivre. Vous vous reconnaissez. Mercredi, au Kindoh ?

Merci à mon père, Jean, de m'avoir inculqué de fortes appartenances à l'endroit d'où je viens. Pour avoir fait naître en moi un amour sincère pour la musique francophone et pour ma patrie, celle où je me sens chez moi.

Merci à toute l'équipe du Jardin de Louise qui me fait tellement apprécier mon travail. Vous avez été et êtes de solides piliers et amis. Vous êtes la fondation même de la suite de l'aventure.

Merci aux Éditions La Semaine et à son équipe pour avoir mené cette idée de livre à terme. C'est facile d'avoir une idée, mais le plus difficile est de la réaliser. Vous l'avez fait avec brio tout en m'amenant à découvrir une nouvelle passion, l'écriture. Merci d'avoir cru en moi.

Merci à mes partenaires qui ont contribué grandement à mon cheminement en ajoutant de l'envergure au parcours.

Merci à tous les gens qui embarquent dans mes aventures sur les différentes plateformes, vous avez ajouté une saveur exquise aux voyages. Vous rendez le plaisir de partager si spécial. Un honneur immense vous revient. Vous rendez le tout possible. *Much love !*

Un merci particulier à mon meilleur chum, mon idole, mon mentor, Jean-Yves. Je n'ai pas de mots pour décrire l'importance que tu as dans ma vie. La définition même de la bonté et de la générosité. Tu m'as tellement appris, tellement fait rire, tellement donné de courage. Ensemble, il n'y avait pas de limites. Tu auras été et es toujours un ami indéfectible. Je suis le plus chanceux du monde de t'avoir eu à mes côtés pendant plus de 20 ans. La vie a voulu que tu sois là pour la naissance de cet ouvrage, mais pas pour la fin. Mais la fin, tu la connaissais déjà, on s'en était tellement parlé.

Merci à toi, lecteur, qui, je l'espère, a pris plaisir à faire voyager ce livre dans les avions, dans les aéroports, dans les trains, dans le désert et sur l'océan ! *Peace !*

Mon Wilson à moi sur les îles Fidji.

Table des matières

Cet ouvrage a été achevé d'imprimer sur les presses
d'Imprimerie Transcontinental, Beauceville, Canada